Chères lectrices,

Noël. Ce seul mot suffit à nous replong[er dans le m]onde de notre enfance. Il nous rappelle ces moments magiques où nous attentions, émues et impatientes, qu'on nous autorise à nous rendre au pied du sapin pour y trouver les cadeaux que le père Noël y avait laissés pour nous. Les mains tremblantes d'excitation, nous déchirions le papier cadeau pour découvrir la poupée de nos rêves.

Bien sûr, nous ne rêvons plus de poupées aujourd'hui, mais nous nous réjouissons de voir le visage radieux des enfants qui nous entourent lorsqu'ils déballent leurs cadeaux au matin de Noël. Et puis, ces journées particulières ne sont-elles pas le moment idéal pour rêver d'amour ? Car en contemplant les rues illuminées, les magasins aux vitrines décorées, les gens qui s'y pressent pour trouver ce qui fera plaisir à ceux qu'ils aiment, on se dit que si Noël est vraiment une saison féerique et lumineuse, c'est bel et bien grâce à l'amour.

Excellente lecture !

La responsable de collection

L'enfant d'une nuit

CAROLE MORTIMER

L'enfant d'une nuit

Cet ouvrage a été publié en langue anglaise
sous le titre :
PRINCE'S LOVE-CHILD

Traduction française de
FLORENCE JAMIN

HARLEQUIN®

est une marque déposée du Groupe Harlequin
et Azur ® est une marque déposée d'Harlequin S.A.

© 2005, Carole Mortimer. © 2006, Traduction française : Harlequin S.A.
83-85, boulevard Vincent-Auriol, 75013 PARIS — Tél. : 01 42 16 63 63
Service Lectrices — Tél. : 01 45 82 47 47
ISBN 2-280-20550-5 — ISSN 0993-4448

1.

— Rick ! Rick Prince ! Toi ici ! Quelle surprise !

Rick se figea. Un tremblement de terre ne lui aurait pas fait plus d'effet, et il mit quelques secondes à retrouver le contrôle de lui-même.

Cette voix féminine, il l'aurait reconnue entre toutes, tant il gardait ancrée dans sa mémoire chacune de ses intonations. Elle provoquait toujours en lui la même indicible émotion, faisant resurgir à la surface le souvenir des moments évanouis qui avaient hanté si cruellement ses nuits.

Cette voix tant de fois entendue dans ses rêves, il avait si souvent espéré l'entendre à l'autre bout du fil, se précipitant sur l'appareil à chaque sonnerie comme si sa vie en dépendait, pour être chaque fois déçu... Cette voix aux accents sensuels, mélodieuse et imprévisible comme elle, et comme elle infiniment séduisante...

Elle, ici ! Il ne pouvait pas y croire. Les mois puis les années avaient passé, et il avait cru naïvement avoir enfin tourné la page, mais il réalisait à présent à quel point il se trompait.

— Rick... ?

Elle devait être juste derrière lui à présent, pensa-t-il sans parvenir à trouver la force de se retourner. Son accent anglais, raffiné et un rien snob, était toujours aussi mutin, avec cette pointe d'arrogance qui n'appartenait qu'à elle.

7

Il sentit qu'elle lui posait la main sur l'épaule.

— Rick…, répéta-t-elle.

Bouleversé, il resta paralysé au milieu de la rue, indifférent aux piétons qui les dépassaient avec un regard agacé sur ce couple étrange en travers de leur chemin.

Bon sang, il fallait absolument qu'il réagisse, qu'il lui sourie, qu'il échange avec elle les banalités d'usage. Pourquoi ces actions si simples lui paraissaient-elles tout à coup hors de sa portée ? « Respire, espèce d'idiot ! » se dit-il mentalement, atterré par sa propre faiblesse. Il ne devait pas lui montrer à quel point il était troublé. Qu'il dise n'importe quoi, mais qu'il tourne la tête et lui parle ! De toute façon, ça ne pouvait pas être plus éprouvant que sa dernière entrevue avec elle voilà cinq ans.

Il prit une profonde inspiration et, enfin, fit volte-face.

Elle était encore plus belle que dans son souvenir, songea-t-il aussitôt, ébloui. Resplendissante était le mot juste. Son teint légèrement hâlé faisait ressortir s'il en était besoin le vert profond de ses yeux ourlés de longs cils noirs, et sa bouche aux lèvres carmin arborait le sourire d'une femme parfaitement au fait de son pouvoir de séduction… Comme elle l'avait toujours été.

Diamond Mac Call, la bien nommée. Dee pour les intimes… Comme si ses parents, en l'appelant ainsi, avaient deviné que sa beauté aurait la pureté et l'éclat du diamant, que sa féminité serait aussi éclatante que le plus étincelant des solitaires.

Même dans son simple dos nu blanc et sa jupe en lin grège au-dessus du genou, elle irradiait une telle élégance qu'elle éclipsait toutes les autres femmes. Ses jambes interminables lui donnaient des allures de gazelle, sa poitrine haut placée avait des rondeurs adorables, et son port de reine lui conférait un air aristocratique. Rien d'étonnant à ce qu'elle soit devenue en quelques films la coqueluche d'Hollywood… Son seul nom à l'affiche suffisait à assurer le succès d'un film, et les cinéphiles se précipitaient dans les salles pour admirer celle qui incarnait à merveille la star intemporelle, avec ce cocktail si particulier de glamour triomphant et de sensualité étudiée qui la rendait irrésistible.

Oui, elle était plus belle encore que cinq ans auparavant, se dit-il en s'efforçant de masquer son émotion. Mais elle en avait épousé un autre.

— J'étais sûre que c'était toi ! s'exclama-t-elle alors avec un rire haut perché.

Elle s'interrompit un instant et lui adressa un sourire éblouissant.

— Je suis si contente de te revoir ! enchaîna-t-elle sur le même ton enthousiaste.

Rick n'avait toujours pas prononcé un mot, mais elle ne semblait même pas le remarquer.

— Quel hasard extraordinaire, non ? lança-t-elle en l'attrapant familièrement par le poignet. Tu te rends compte un peu, te rencontrer là, sur les Champs-Elysées, au milieu de milliers de personnes ! Un véritable signe du destin, tu ne trouves pas ?

Elle darda sur lui son regard vert émeraude qui scintilla comme une pierre précieuse.

— On m'avait bien dit qu'en restant assis quelque temps à la terrasse du Fouquets, on voyait défiler tout ce qui compte dans Paris, ajouta-t-elle avec un petit rire. Eh bien, on avait raison ! Rick Prince en personne, rien de moins !

D'un gracieux mouvement de tête, Dee rejeta en arrière ses longs cheveux couleur de blé mûr qui se répandirent en cascade sur ses épaules bronzées, et Rick déglutit péniblement. Chacun des gestes de la jeune femme était chargé d'une telle sensualité que c'en était fascinant.

— Qu'est-ce que tu fabriques à Paris ? interrogea-t-elle enfin en battant des cils d'un mouvement étudié.

Mais il n'était toujours pas redescendu sur terre. Avec son rire de gorge, son sourire de star et ses mouvements d'épaules, elle l'empêchait littéralement de réfléchir et d'échafauder la moindre réponse cohérente. Jamais il ne s'était senti aussi stupide ! S'il continuait ainsi, elle allait croire qu'il avait perdu l'usage de la parole !

— Tu ne vas pas me dire que tu m'en veux toujours, j'espère ? lança-t-elle tout à coup en minaudant.

Lui en voulait-il ? s'interrogea-t-il, pris au dépourvu. Non. En fait, il ne lui en avait jamais voulu à elle, qui n'avait été qu'une victime dans toute cette histoire. C'est à la demi-sœur et à la belle-mère de Dee qu'il en voulait, car c'est elles et elles seules qui l'avaient poussée à épouser Jérôme, le puissant et richissime Jérôme. Sans leur influence néfaste, peut-être les choses seraient-elles tout autres à l'heure actuelle, conclut-il avec une douloureuse amertume. Dee ne serait pas la femme de Jérôme, mais la sienne...

De toute façon, comment pouvait-on en vouloir à Dee ? C'était impossible ! A supposer même qu'on ait quelque chose à lui reprocher, il lui suffisait d'un sourire ou d'un clin d'œil complice pour désarmer en un instant toute agressivité.

— Mais enfin, dis quelque chose, Rick ! s'écria-t-elle tout à coup, non sans impatience. Tu as perdu ta langue, ou quoi ?

C'était à peu de choses près la vérité, songea-t-il, honteux comme un enfant pris en faute. Il ne s'était jamais senti aussi déstabilisé.

Comment lui, un homme mature de trente-cinq ans, scénariste reconnu par ses pairs, avec à son actif un nombre impressionnant de succès au box-office, à la tête avec ses frères Nick et Zack d'une des maisons de production les plus prospères aux USA, comment pouvait-il être aussi perturbé par cette rencontre ?

L'effet de surprise, sans aucun doute, tenta-t-il de se rassurer. Croiser Dee Mc Call sur les Champs-Elysées était un hasard incroyable. Comment en effet aurait-il pu imaginer en se levant le matin qu'il tomberait sur Diamond elle-même en arpentant la célèbre avenue ?

Sa journée avait commencé comme toutes les autres depuis son arrivée à Paris : réveil à 8 heures, courte promenade le long des quais, puis retour à l'hôtel pour un petit déjeuner avec croissants et café au lait, le quotidien du matin sous les yeux. En un instant, cette très agréable routine à laquelle il s'était si facilement habitué avait été bouleversée, le laissant désemparé.

Pourtant, il fallait bien qu'il finisse par dire quelque chose, sous peine de se ridiculiser définitivement aux yeux de Dee.

— Tu as l'air en pleine forme, balbutia-t-il lamentablement, effrayé lui-même de proférer une telle platitude.

Comment pouvait-il avoir une conversation aussi ridiculement anodine avec cette femme dont il avait été passionnément amoureux ? s'interrogea-t-il. Elle l'avait aimé aussi, et pourtant à les entendre personne n'aurait pu deviner l'intensité des sentiments qu'ils avaient éprouvés l'un pour l'autre. La vie était vraiment étrange parfois...

Dee sourit et l'observa d'un regard en coin.

— Toi aussi, enchaîna-t-elle avec cet accent british qui contrastait avec ses propres inflexions typiquement américaines.

— Si tu me permets cette question un peu indiscrète, tu es à Paris seul ou accompagné ? demanda Dee.

— Rien d'indiscret là-dedans, rétorqua-t-il en affichant un ton détaché. Je suis seul. J'allais justement te demander si tu étais toi-même avec Jérôme.

Jérôme... Le simple fait de prononcer le nom de l'homme qui lui avait enlevé Dee était pénible. Elle l'avait épousé, et pourtant, ce n'était pas faute d'avoir essayé de la convaincre qu'elle commettait la plus grande erreur de sa vie, puisqu'il était le seul à pouvoir la rendre heureuse !

Pour tout dire, il se remémorait souvent avec gêne l'insistance peu glorieuse avec laquelle il avait voulu lui faire changer d'avis, et ce n'était pas la période de son existence dont il était le plus fier. Mais à l'époque, il était si amoureux qu'il aurait été capable de n'importe quoi pour la reconquérir…

Il se rendit compte tout à coup qu'il avait mentalement employé le passé — il « était » amoureux. Quelle surprise ! Si les cinq années écoulées n'avaient rien effacé de sa mémoire, il était en fait guéri de son amour pour la jeune femme. Il restait ému, certes, très ému même, mais plus par le souvenir de ce qu'ils avaient partagé que par la présence de Diamond : il avait enfin réussi à faire le deuil de cette relation… Et pourtant, Dieu sait qu'il avait été amoureux !

A vingt ans, Dee était peut-être encore plus fascinante qu'aujourd'hui. Jeune actrice débutante promise à un bel avenir, mais pas encore habituée à être adulée par le public et mitraillée par les photographes, elle n'en était que plus attendrissante. Il était tombé sous son charme, ébloui comme jamais auparavant, et n'en avait été que plus meurtri de la voir lui en préférer un autre. Il avait eu beau plaider sa cause, tempêter, lui envoyer des fleurs, des cadeaux, argumenter pendant des heures, il n'avait pas réussi à la convaincre. Leurs discussions se terminaient invariablement de la même façon : Dee fondait en larmes et l'assurait qu'elle tenait énormément à lui, mais elle n'en démordait pas, elle devait obéir à sa belle-mère et à sa demi-sœur qui exigeaient qu'elle épouse le célèbre Jérôme Powers, brillant metteur en scène de vingt ans son aîné.

Rick se redressa brusquement. S'il n'était plus amoureux de Dee, il éprouvait toujours la même colère à l'égard de ces deux femmes qui avaient sciemment abusé de leur influence sur elle. Et s'il croisait leur chemin un jour ou l'autre, il ne se gênerait pas pour leur dire tout le mal qu'il pensait d'elles…

— Dee-Dee, mon amour, on t'a trouvé le sac de tes rêves ! lança tout à coup une voix mâle derrière eux.

Avec ce ton à la fois tendre et possessif, il ne pouvait s'agir que de Jérôme, conclut Rick en réprimant un réflexe d'animosité. L'homme qu'il avait tant honni et qu'il n'avait pas revu depuis le jour du mariage… Il se retourna sans enthousiasme et, de mauvaise grâce, esquissa un signe de tête.

— Rick ! Rick Prince ! Quelle heureuse surprise ! s'exclama Jérôme avec une telle chaleur que Rick sentit se dissiper sa mauvaise humeur.

— Un hasard étonnant, en effet, fit-il d'une voix qui resta cependant distante.

— Mais qu'est-ce que tu fabriques à Paris ? renchérit Jérôme tout en posant la main sur l'épaule de sa femme. Tu es là pour affaires ou en vacances ? En tout cas, nous sommes ravis de te voir. N'est-ce pas, chérie ?

Dee opina de la tête en souriant tandis que, gagné par la gaieté communicative de Jérôme, Rick se détendait peu à peu. Avec son regard franc et son expression amicale, Jérôme était indéniablement sympathique. D'ailleurs, il devait bien admettre que dans toute cette affaire il n'avait rien à lui reprocher, hormis le fait d'avoir été son rival plus heureux auprès de Dee.

Mais il n'avait pas pour autant l'intention de faire ami-ami avec lui…

— Je travaillais, répondit-il, et j'ai pris quelques jours de vacances dans la foulée.

— Excellente idée, fit observer Jérôme avec entrain. Paris est toujours la plus belle ville du monde ! Mais dis-moi, j'ai entendu dire que tes frères s'étaient mariés, ce qui fait de toi le dernier des frères Prince sur le marché… A moins que tu n'aies convolé récemment ?

— Non, non, répliqua Rick, pas pour le moment. Mais mes frères sont mariés en effet, et très heureux en ménage.

Les mariages de Nick et Zack l'avaient troublé plus qu'il ne voulait l'admettre, le mettant face à sa solitude de célibataire. Devant leur bonheur si évident, il ne pouvait s'empêcher de les envier et de se demander si lui aussi, un jour, connaîtrait une telle félicité.

Voir Dee et Jérôme ensemble, visiblement très amoureux, ne faisait rien pour arranger les choses…

— Tant mieux, fit Jérôme. Chérie, tu viens ? Je veux absolument te montrer ce sac. C'est exactement ce que tu cherches, je crois. Tu sais, le dernier modèle de Dior, que nous avons vu chez Saks à New York le mois dernier. Mais je manque à tous mes devoirs, ajouta-t-il tout à coup d'un air confus à l'adresse de Rick : je ne t'ai même pas présenté Sapphie ! Sapphie, voici Rick Prince, un de nos amis dont tu as certainement entendu parler.

Il s'écarta légèrement pour s'effacer devant une jeune femme que Rick n'avait pas remarquée jusque-là derrière lui.

Celle-ci s'avança de quelques pas, et un rayon de soleil éclaira ses cheveux auburn aux reflets soyeux, tandis que son regard couleur d'ambre fixait Rick avec une sorte de défi.

Les yeux de Rick s'écarquillèrent, et il retint avec peine une exclamation de surprise.

Décidément, cette journée était riche en rebondissements ! D'abord cette rencontre avec Dee et Jérôme, qui lui avait permis de réaliser que contrairement à ce qu'il pensait, son amour pour la jeune actrice s'était éteint avec le temps. Et maintenant elle, Sapphie !

Il n'avait côtoyé cette dernière que quelques heures et ne l'avait pas revue non plus depuis le mariage de Dee et Jérôme, et pourtant il la connaissait aussi bien qu'un homme peut connaître une femme.

Dans tous les sens du terme…

2.

Rick l'avait reconnue, elle en était certaine, se dit Sapphie pétrifiée. Il gardait le regard fixé sur elle, visiblement sous le coup de la surprise, et elle dut mobiliser tous ses efforts pour rester de marbre.

En apparence seulement, car intérieurement elle était bouleversée : elle avait croisé le chemin de Rick Prince une seule et unique nuit cinq ans auparavant, et cette rencontre avait infléchi à jamais le cours de son existence. Elle s'était peu à peu convaincue qu'elle ne le reverrait jamais, mais se retrouver ainsi nez à nez avec lui faisait remonter à la surface le souvenir dévastateur des moments aussi brefs qu'intenses passés entre ses bras.

Elle devait absolument donner le change : il n'était bien sûr pas question que Jérôme et Dee se rendent compte qu'elle et Rick se connaissaient, et encore moins qu'ils avaient été amants…

Rassemblant tout son courage, elle releva le menton et tendit la main à Rick d'un geste brusque.

— Bonjour, monsieur, articula-t-elle d'une voix qui par miracle ne tremblait pas. Sapphie Benedict.

Rick ne bougea pas. Il continuait à la fixer d'un air incrédule, comme s'il était face à une apparition, ce qui ne fit qu'aggraver sa propre nervosité.

Pourquoi avait-il l'air aussi ahuri ? Pour lui, elle n'avait été qu'une passade éclair sans signification particulière, puisqu'il n'y

15

avait que Dee qui comptait à ses yeux. En tout cas, il avait intérêt à se ressaisir rapidement pour ne pas attirer l'attention de Dee et de Jérôme. Elle n'avait pas la moindre envie d'expliquer à celle dont Rick était certainement toujours épris comment elle avait réconforté son amoureux éploré le soir de son mariage...

Par bonheur, Rick sembla enfin retrouver l'usage de sa langue...

— Bonjour, mademoiselle, déclara-t-il de sa voix grave. Ou peut-être est-ce madame ?

— Mademoiselle, précisa-t-elle d'un ton abrupt.

Elle retira sa main à la hâte, comme si ce contact lui était désagréable. En réalité, à son grand désarroi, elle était infiniment troublée de sentir la paume de Rick contre la sienne. Comment, cinq ans après, pouvait-elle réagir avec une telle violence à cet échange physique plus qu'anodin, comme si elle avait gardé inscrite au plus profond d'elle-même la trace de chacun de leurs baisers, de leurs caresses ? Elle n'en revenait pas elle-même.

— « Monsieur », « mademoiselle », répéta Jérôme en riant, vous êtes d'un formalisme ! Rick et Sapphie, voilà qui me paraît beaucoup plus simple, non ? Ne dit-on pas que les amis de nos amis sont nos amis ?

Sapphie se renfrogna. Quelle drôle d'idée ! Elle n'avait pas la moindre envie d'être amie avec Rick Prince, ni d'ailleurs d'avoir avec lui quelque rapport que ce soit... Et elle entendait bien le faire savoir au plus vite au principal intéressé, dès qu'ils seraient en tête à tête. Inutile de prolonger plus longtemps cette comédie.

— Jérôme, tu devrais emmener Dee voir ce fameux sac que nous avons déniché pour elle, observa-t-elle. Pendant ce temps, Rick et moi vous attendrons autour d'une tasse de café, comme ça nous ferons connaissance...

— Excellente idée, enchaîna Jérôme. Et puis, c'est bientôt notre anniversaire de mariage, ma chérie, ajouta-t-il à l'adresse de sa femme. J'ai l'intention de profiter de notre séjour à Paris pour faire des repérages chez les joailliers à la recherche d'une parure… De diamants, bien entendu ! Tu ne pourras pas refuser une offre aussi personnelle ! ajouta-t-il en lui glissant un baiser dans le cou.

Dee prit la main de son mari en souriant, et tous deux s'éloignèrent, les laissant seul à seule dans un silence de mort.

— Je croyais me souvenir que Dee et Jérôme s'étaient mariés en septembre, fit observer Rick après quelques minutes.

— C'est exact, mais Jérôme n'improvise jamais, expliqua Sapphie. C'est l'homme le plus organisé que je connaisse : il prévoit toujours tout à l'avance. Surtout quand il s'agit de faire plaisir à sa chère Dee… Si on s'asseyait ? suggéra-t-elle en indiquant une table libre en terrasse.

Mais Rick ne bougea pas ; il restait planté au milieu du trottoir, les yeux fixés sur la boutique où Jérôme venait d'entraîner Dee. Comme s'il était incapable de penser à autre chose qu'à sa belle, pensa-t-elle, agacée.

Retenant un soupir, elle rejeta en arrière ses boucles aux reflets cuivrés et darda sur Rick un coup d'œil sans complaisance. Cette fascination qu'il avait toujours pour Dee Mc Call lui était insupportable.

Il n'avait pas changé, songea-t-elle, ou si peu… Peut-être avait-il un peu minci ? Sa haute silhouette musclée de sportif accompli n'en paraissait que plus élancée. Le contraste entre le brun presque noir de ses cheveux bouclés et le bleu profond de ses yeux était toujours aussi saisissant. Ses traits racés n'avaient rien perdu de leur distinction, bien au contraire. Les années n'avaient fait qu'accentuer cette aura de virilité raffinée qui émanait de toute sa personne.

Sapphie se ressaisit soudain. Assez glosé sur les charmes

de Rick Prince ! se dit-elle en s'asseyant avec détermination. Elle perdait son temps.

Rick hésita un instant avant de se décider enfin à prendre place face à elle. Mais il ne se mit pas à parler pour autant. Son regard restait lointain, comme s'il pensait à tout autre chose. A Dee, probablement, conclut-elle, exaspérée par ce silence prolongé.

Elle tenta de se calmer en observant la foule dense qui déambulait sur le large trottoir devant elle. Quelle incroyable coïncidence ! Rick, sur les Champs-Elysées, au milieu de cette masse de touristes ! N'était-ce pas insensé qu'ils soient tombés sur lui ?

Fronçant les sourcils, elle songea tout à coup que le hasard avait parfois bon dos. Et si Rick, ayant appris la présence de Dee à Paris, s'était débrouillé pour croiser son chemin et reprendre ainsi contact avec sa belle ? Elle était bien placée pour savoir à quel point il avait été dévasté cinq ans auparavant par le fait que Dee en épouse un autre. Peut-être n'avait-il pas renoncé à l'espoir de la reconquérir ? Si tel était le cas, rien n'était plus simple pour lui que d'organiser une fausse rencontre fortuite…

Elle chassa bientôt ces pensées de son esprit, convaincue que si cette hypothèse était la bonne, elle le saurait un jour ou l'autre. Pour l'heure, elle voulait avant tout mettre les choses au point entre elle et Rick. Les affaires de ce dernier avec Dee ne la regardaient pas.

— Quel mari attentionné, ce Jérôme ! lança-t-elle cependant malgré elle pour le tester. Il n'oublie jamais un anniversaire de mariage…

En effet, Jérôme était aux petits soins pour sa femme, et tous deux formaient un couple très uni. Même si Dee avait gardé cette habitude un peu puérile de faire du charme à tout homme qui passait à sa portée… Déformation professionnelle, sans doute. Adulée comme elle l'était, elle se devait d'alimenter son image de star glamour et séductrice. Fort heureusement, Jérôme semblait avoir la distance et la maturité suffisantes pour ne pas s'en offusquer.

Rick allait enfin parler quand le serveur arriva pour prendre la commande.

— Qu'allais-tu dire ? demanda Sapphie après avoir commandé deux cafés.

— Que s'il y a quelqu'un que je ne m'attendais pas à revoir après si longtemps, c'est bien toi !

— Sous-entendrais-tu que tu aurais préféré que ce ne soit pas moi ? enchaîna-t-elle en lui jetant un regard incisif.

— Si c'était ce que je pensais, je te l'aurais fait comprendre d'une façon ou d'une autre, précisa-t-il. Mais ce n'est pas le cas. Pas du tout.

— Oh, je t'en prie, n'en fais pas trop ! protesta-t-elle en esquissant un geste de la main. Je suis sûre que cette rencontre ne te fait pas plus plaisir qu'à moi !

Elle n'ajouta pas qu'elle avait toujours souhaité de toutes ses forces ne plus jamais croiser son chemin et tenté d'éliminer de sa mémoire tout ce qui se rattachait à lui. Le moins qu'on puisse dire est que c'était raté…

Voilà que Rick était en face d'elle et qu'elle avait presque l'impression de l'avoir vu la veille, tant chacun des traits de son visage, chacune des intonations de sa voix étaient restés gravés dans son esprit. De façon extrêmement déstabilisante…

— Tu as le mérite d'être directe, au moins, fit-il observer d'un ton amusé.

— Je déteste la langue de bois… Justement, je vais être franche avec toi jusqu'au bout, et profiter de l'absence de Jérôme et de Dee pour mettre les choses au point. Je ne veux à aucun prix qu'ils apprennent ce qui s'est passé entre nous il y a cinq ans, décréta-t-elle d'un ton grave. Je compte sur toi pour rester discret et leur faire croire que nous venons juste de faire connaissance.

Elle ponctua son discours d'un regard aigu pour exiger son accord. Rick releva le nez de sa tasse de café. Cette fois, quand il la dévisagea, ses yeux bleu profond brillaient d'une lueur presque taquine.

— Quand tu parles de ce qui s'est passé entre nous il y a cinq ans, est-ce que tu fais allusion à…, commença-t-il.

Elle le coupa d'une voix étranglée.

— Tu as très bien compris ce que je veux dire, et il me paraît inutile de rentrer dans les détails ; je préférerais que Jérôme et Dee ignorent que nous nous sommes connus avant aujourd'hui, asséna-t-elle brutalement. C'est clair, non ?

Rick recula sur sa chaise, saisit sa tasse de ses longs doigts élégants et l'observa d'un œil inquisiteur en réprimant à peine un sourire en coin. Pourquoi arborait-il cet air réjoui absolument exaspérant ? songea-t-elle. La situation n'avait rien de comique, bien au contraire !

— Tiens, tiens, c'est curieux…, fit-il enfin. D'une part tu revendiques le parler vrai, et d'autre part tu me demandes ni plus ni moins que de mentir à Jérôme et Dee ! N'est-ce pas un peu paradoxal ?

— Epargne-moi tes commentaires moralisateurs ! rétorqua-t-elle, mal à l'aise. Il y a un temps pour parler vrai, et…

— Et un temps pour le mensonge ? acheva-t-il sur un ton goguenard qui acheva de lui mettre les nerfs à vif.

— Tu n'as certainement pas plus envie que moi que Jérôme et Dee sachent que nous avons été assez stupides pour passer la nuit ensemble le jour de leur mariage ! fit-elle remarquer d'un ton pincé.

Sa voix s'étrangla dans sa gorge. Le simple fait d'évoquer leur nuit d'amour devant lui la bouleversait. Elle se souvenait en effet de chacun des instants qu'ils avaient vécus ensemble :

l'attraction immédiate qu'ils avaient éprouvée l'un pour l'autre, le désir qui montait en eux à l'unisson, et enfin ces heures trop courtes de bonheur partagé qui avaient pour un temps apaisé leurs soucis, avant qu'ils ne se séparent aux premières lueurs du jour... Non, malheureusement, malgré tous ses efforts pour rayer cette nuit de son esprit, elle n'avait rien oublié.

Ils s'étaient tout donné, sans retenue, sans pudeur, se mettant à nu au sens propre comme au figuré, comme s'ils pensaient que dès le lendemain leurs chemins se sépareraient pour toujours et que personne ne saurait rien de leurs ébats passionnés.

Aussi cette rencontre qui faisait remonter le passé à la surface était-elle particulièrement mal venue...

— D'autant que je te rappelle que ce jour-là, tu venais d'assister au mariage de celle que tu aimais, et que tu étais prêt à n'importe quoi pour te changer les idées ! ajouta-t-elle tout à coup avec une agressivité mal contrôlée.

Il se rembrunit immédiatement.

— Et toi, puis-je savoir quelle était ton excuse pour me tomber dans les bras ? enchaîna-t-il sur le même ton.

— Moi ?

Elle hésita un instant. En aucun cas elle ne voulait avoir l'air de lui faire des confidences, et pourtant la réponse lui vint tout naturellement.

— Moi ? Pareil. Je venais de voir l'homme dont j'étais amoureuse en épouser une autre, répondit-elle avec calme.

C'était la vérité, mais une partie seulement de la vérité... Certes, en se rendant ce jour-là à la cérémonie qui allait unir Dee à celui qu'elle était persuadée d'aimer, elle s'apprêtait à passer la journée la plus tragique de toute son existence. Et puis, sans qu'elle s'explique pourquoi, alors qu'elle broyait du noir dans l'église sur les accents de la marche nuptiale, elle s'était retournée. C'est là qu'elle avait aperçu Rick...

Elle ne le connaissait pas, mais son regard avait été attiré comme par un aimant par sa haute stature qui dominait l'assistance. Avec son regard bleu intense perdu dans le vague, sa moue désabusée sur ses lèvres sensuelles, il semblait lui aussi peu en accord avec la gaieté ambiante. Elle avait soudain oublié son chagrin pour ne plus s'intéresser qu'à lui.

Jusque-là, quand on lui parlait de coups de foudre, elle ricanait et prétendait que cela n'existait que dans les romans à l'eau de rose… Ce jour-là, elle avait dû réviser sa copie.

Tout était allé vite, très vite. Dans l'agitation et le brouhaha de la sortie de l'église, les embrassades sur le parvis, elle s'était trouvée comme par hasard à côté de ce beau brun au regard bleu magnétique. Elle était incapable de dire qui des deux avait engagé la conversation, mais une chose était sûre : ils s'étaient mis à discuter. Ils ne s'étaient plus quittés de la soirée, indifférents au reste des invités. Et puis, dans une sorte d'état second, portée par la conviction aussi profonde que déraisonnable qu'elle devait lui appartenir, elle s'était retrouvée dans son lit.

Et le lendemain matin à l'aube, quand, réveillée la première, elle avait observé avec une sorte d'avidité ses traits virils, son magnifique corps d'athlète qui lui avait donné tant de plaisir, elle avait compris qu'au-delà de l'irrépressible attraction physique qui l'avait poussée dans ses bras, elle était éprise de cet inconnu. Et le fait qu'il ne lui ait pas caché son amour pour Dee n'y changeait rien…

Jérôme ? se dit Rick, stupéfait. Sapphie Benedict, amoureuse de Jérôme Powers ?

C'était renversant !

Alors, quand ils avaient passé cette inoubliable nuit ensemble, ils pleuraient chacun de leur côté un amour déçu ? Sans le savoir, ils étaient l'un comme l'autre dans le même état d'esprit, malheureux, à la recherche d'une consolation, d'un réconfort ?

Et par ailleurs attirés l'un vers l'autre de manière incontrôlable, il ne pouvait le nier...

Il avait cherché sans succès à effacer cette nuit de sa mémoire. Non pas tant parce qu'il s'agissait du mariage de Dee avec un autre, mais parce qu'il se sentait coupable. Coupable d'avoir profité de Sapphie pour apaiser sa peine, coupable de lui avoir fait l'amour alors qu'il pensait toujours à Dee. Et pourtant, tout épris de Dee qu'il était alors, il avait connu dans les bras de Sapphie des moments d'une exceptionnelle intensité. Aucune femme n'avait su éveiller en lui un désir aussi violent et dévastateur que cette mystérieuse jeune femme aux cheveux auburn et aux yeux couleur d'ambre qu'il croyait ne jamais revoir. Jusqu'à aujourd'hui...

Apprendre qu'à l'époque elle aussi pensait à quelqu'un d'autre calmait certes sa conscience, mais malmenait son orgueil.

— Alors, tu es amoureuse de Jérôme, murmura-t-il comme s'il se parlait à lui-même. Et tu gravites autour de lui et de Diamond pour guetter le moment où leur mariage se mettra à battre de l'aile... Peut-être est-ce une bonne tactique, mais il ne faut pas être pressé, acheva-t-il avec une ironie cinglante.

Sapphie blêmit de colère.

— Comment oses-tu ? s'écria-t-elle, une lueur sombre dans ses yeux dorés. D'abord, pour ton information, sache que je ne gravite pas autour de Jérôme et de Dee, comme tu oses le prétendre. Il se trouve que je suis à Paris pour mon travail, et qu'ils ont décidé de faire un saut pour me voir avant d'assister à la première du dernier film de Dee à Londres.

— Ce qui fait bien tes affaire, j'imagine, insista-t-il sur le même ton suspicieux.

— Tu n'as pas le droit de parler de ce que tu ne connais pas ! protesta-t-elle, offusquée. Et puisqu'il faut te mettre les points sur les I, et bien que je n'aie aucune explication à te donner, je ne suis *plus* amoureuse de Jérôme. Voilà, tu es satisfait ou tu veux continuer ton enquête ?

Ses yeux lançaient des éclairs, sa respiration s'était accélérée.

Il l'observa du coin de l'œil. Il n'était pas vraiment convaincu : Sapphie lui paraissait trop véhémente pour une femme indifférente. Mais d'abord il n'avait aucun moyen de vérifier ses dires, et ensuite elle se moquait bien de ce qu'il pensait : inutile donc de prolonger une conversation qui devenait déplaisante.

Il songea avec un trouble étrange qu'il avait tenu cette femme dans ses bras, embrassé sa bouche pulpeuse, caressé sa poitrine ronde que l'on devinait ferme et généreuse sous le chemisier. Il se rappelait jusqu'à ses gémissements de plaisir sous ses caresses. Comme tout cela semblait loin tout à coup ! Ils avaient échangé les baisers les plus passionnés, les étreintes les plus profondes, et à présent ils n'étaient plus que deux étrangers l'un pour l'autre, deux étrangers qui s'affrontaient avec animosité…

Sentant son regard posé sur elle, Sapphie fronça les sourcils, contrariée.

— Mettons les choses au point une bonne fois pour toutes, monsieur Prince, commença-t-elle. Je…

— Je croyais qu'on avait abandonné les formules de politesse pour s'appeler par nos prénoms ! la coupa-t-il d'un ton surpris.

Elle haussa les épaules comme si elle se souciait comme d'une guigne de cette observation.

— Bon, je vais être un peu brutale, puisque tu sembles ne pas vouloir comprendre ce que j'essaie de te dire, reprit-elle d'un air las. Alors voilà : je ne te connais pas, et je ne veux pas te connaître. Jamais. Suis-je assez claire ?

Il écoutait à peine ce qu'elle lui disait. Il la regardait, fasciné.

En cinq ans, il avait oublié à quel point elle était jolie. Très jolie, même. D'une beauté piquante qui la rendait unique. Avec son opulente chevelure auburn, ses yeux d'ambre clair et ses lèvres pulpeuses, elle irradiait d'une séduction qui n'appartenait qu'à elle. Rien à voir avec la plastique presque stéréotypée de Dee, la blonde parfaite qui savait jouer de sa féminité comme d'un artifice. Sapphie, elle, n'en rajoutait pas : sa beauté se suffisait à elle-même. On la prenait comme elle était, ou on passait son chemin.

De nouveau, le souvenir de leurs étreintes l'assaillit, et il comprit tout à coup qu'il avait plutôt envie de s'attarder, et en tout cas pas du tout de passer son chemin…

— Parfaitement claire, Sapphie, répondit-il enfin d'une voix posée. Il y a cependant quelque chose que je ne saisis pas très bien. Si nous ne nous connaissons pas, peux-tu m'expliquer par quel miracle je sais que tu as une tache de naissance à un endroit particulièrement…

Elle le coupa brusquement.

— Je t'en prie, arrête-là ! s'exclama-t-elle. Je ne goûte pas du tout ton humour. Et en plus, Dee et Jérôme arrivent.

Rick tourna la tête et aperçut le couple qui se dirigeait vers eux, tendrement enlacé. Il fallait admettre qu'ils étaient parfaitement assortis : elle, la quintessence du raffinement et de la sophistication avec ses boucles blondes savamment décoiffées et son tailleur de grand couturier, et lui séduisant et élégant, sa veste en daim négligemment jetée sur les épaules, avec cette décontraction caractéristique de l'homme qui a réussi et qui n'a plus rien à prouver…

— Mon humour est tout à fait honorable, protesta-t-il. Me prendrais-tu pour un idiot ?

— Tu n'as rien d'un idiot, et je le sais très bien ! Si tu veux tout savoir, je pense seulement que tu t'es laissé emporter inconsidérément par ton amour pour Dee, voilà tout.

Il réfléchit un instant. Sapphie n'avait pas tort… Mais pas question de l'admettre devant elle !

— Tu n'apprécies pas beaucoup Dee, apparemment, fit-il observer en lui jetant un coup d'œil en biais.

Elle releva la tête d'un geste brusque.

— Bien sûr que si ! protesta-t-elle. J'ai beaucoup d'affection pour elle, détrompe-toi ! Connaître les défauts d'une personne n'empêche pas de l'aimer.

— Ah oui ? Alors pourquoi ne m'appliques-tu pas cette belle maxime ? Tu prétends connaître mes faiblesses, mais tu n'as pas pour autant de sympathie pour moi, j'en ai peur !

— Disons que tu es l'exception qui confirme la règle, c'est tout ! rétorqua-t-elle sèchement.

Rick allait répliquer vertement, mais Dee et Jérôme arrivaient. Il ravala ses paroles.

— Regarde, Sapphie ! s'exclama Dee en exhibant fièrement un grand paquet enrubanné. J'ai craqué pour le sac que tu avais repéré avec Jérôme.

— Tu as eu raison, approuva Sapphie. C'est exactement ton style. Tu as pris le petit ou le grand modèle ?

Dee arbora un large sourire, affichant la blancheur de ses dents parfaitement alignées.

— Le grand, bien sûr ! répondit-elle avec assurance. Tant qu'à porter un sac de créateur, autant opter pour celui qu'on remarquera le plus !

Elle s'assit en souriant entre eux et ouvrit le paquet.

— J'adore le velouté de cette peau, murmura-t-elle en caressant le daim clair de ses longs doigts parfaitement manucurés.

Comme toujours, les gestes de Dee étaient étudiés, délicatement féminins, sensuels juste ce qu'il fallait, se dit Rick en l'observant. Elle était passée maîtresse dans l'art de séduire et savait de toute évidence obtenir ce qu'elle voulait de son mari… Jérôme avait dû dépenser une fortune pour ce sac, mais il semblait prêt à tout pour gâter sa femme. Tant mieux pour Dee, d'autant que les moyens de Jérôme lui permettaient toutes les folies.

Oui, conclut-il en son for intérieur, elle était décidément parfaite dans son rôle d'épouse adulée par un riche mari. Quant à Sapphie, elle recelait de véritables talents de comédienne : devant son sourire suave, personne n'aurait pu deviner que quelques minutes auparavant, elle était rouge de colère et quasiment prête à l'insulter. On aurait pu les prendre sans problème pour deux couples de touristes faisant tranquillement une pause entre deux séances de shopping...

Tout en écoutant d'une oreille distraite Sapphie bavarder de choses et d'autres avec Dee, il réalisa tout à coup qu'il n'avait pas envie d'attendre encore cinq ans avant de la revoir. Malgré son agressivité, sa brutalité parfois, elle éveillait son intérêt, elle l'intriguait... Et il n'avait pas pour habitude de laisser sa curiosité insatisfaite.

— Si on y allait, Dee ? intervint Jérôme. Je dois envoyer un fax important avant 18 heures.

— Vous partez ? Je disais à Sapphie juste avant que vous n'arriviez que ce serait une bonne idée de dîner ensemble tous les quatre ! lança tout à coup Rick sur une soudaine impulsion. Qu'en dites-vous ?

Tout en parlant, il évita soigneusement de croiser le regard de Sapphie. De toute évidence, celui-ci devait être incendiaire...

3.

— Tu es stupide, ou fou furieux ! lança Sapphie d'une voix sifflante en suivant Rick dans l'antichambre de sa luxueuse suite.

— Après toi, je t'en prie, répliqua celui-ci comme s'il n'avait rien entendu.

En passant devant lui, elle ne put s'empêcher de penser que dans son costume sombre en alpaga, avec son discret nœud papillon de soie sauvage et sa chemise blanche, il était d'une rare élégance. Tout en lui respirait l'aisance et l'assurance de l'homme habitué au succès. Cinq ans avaient passé, mais il avait toujours sur elle le même effet dévastateur…

Cependant, la différence était qu'aujourd'hui, même s'il était resté l'homme le plus séduisant qu'elle ait jamais rencontré, Rick était surtout le lien entre son passé et son présent, entre elle et… Affolée, elle interrompit brutalement le cours de ses pensées : il ne fallait pas qu'elle repense à Matthew ! Par bonheur, Rick croyait qu'il n'avait partagé avec elle qu'une nuit d'amour, et il n'était pas question qu'il se doute d'autre chose. Elle devait à tout prix rester discrète et prier pour que Dee et Jérôme ne se mettent pas à lui raconter sa vie pendant le repas.

Quelle idée aussi Rick avait-il eue d'organiser ce dîner ! C'était pour elle une véritable épreuve en perspective, avec cette épée de Damoclès au-dessus de la tête. Sans parler du fait qu'elle devrait subir sa présence toute une soirée, et en prime le voir faire le joli cœur devant Dee pour essayer de la reconquérir... Ce serait la cerise sur le gâteau !

Malheureusement, il lui était impossible de se soustraire à cette pénible obligation. D'autant que Dee et Jérôme s'étaient montrés littéralement enthousiastes quand Rick avait fait cette proposition absurde. Sans hésiter un instant, ils avaient promis d'être à 20 heures dans le lobby de l'hôtel. Ils iraient ensuite dîner tous les quatre au Fouquets, qui n'était qu'à quelques minutes à pied.

Pourvu que ni l'un ni l'autre ne mentionne l'existence de Matthew ! se répéta-t-elle en dissimulant avec peine sa nervosité. Ce serait la soirée de tous les dangers...

— Dois-je comprendre que la perspective de notre compagnie te rebute ? demanda Rick d'un ton ironique. Tu aurais préféré rester seule, peut-être ?

Il l'observait avec insistance, s'attardant sur la naissance de ses seins que révélait sa simplissime robe noire au chic très minimaliste, ainsi que sur ses hanches dont on devinait la courbe sous le tissu fluide.

Pourquoi la fixait-il ainsi ? songea-t-elle, mal à l'aise. Elle ne lui demandait qu'une chose : qu'il la laisse en paix...

— Tu sais, Rick, tu joues un jeu dangereux, commença-t-elle d'une voix sourde.

— Dangereux ? Pourquoi ? Je n'aurais pas dû te laisser pénétrer dans ma suite ? Tu as l'intention de me faire des avances ?

Rick semblait ravi de sa petite plaisanterie, ce qui faillit la faire sortir de ses gonds.

— Bon, si je te proposais un cocktail pour te dérider un peu avant d'aller rejoindre Dee et Jérôme à la réception ? suggéra-t-il. Tu as l'air bien tendu...

Il s'avança vers le bar sans attendre sa réponse.

En effet, ils étaient en avance sur l'heure du rendez-vous,

constata Sapphie après avoir jeté un coup d'œil à sa montre. C'était bien sa chance ! Encore une demi-heure avant de retrouver Jérôme et Dee qui, comme Rick, logeaient au George V. Plus modestement, elle avait choisi un hôtel dans le même quartier. Très correct mais beaucoup moins luxueux.

— Du porto ? demanda-t-il.

Elle faillit refuser, puis jugea qu'au point où ils en étaient, il ne servait à rien de bouder.

— Oui, merci.

Il lui sourit du coin de l'œil tout en lui servant un doigt de porto.

— Ouf, tu abandonnes enfin ton air fâché ! s'exclama-t-il d'un ton taquin. Tu vois, ce n'est pas si terrible de passer quelques minutes en tête à tête avec moi. Tu faisais une telle mine tout à l'heure que j'avais l'impression d'être le diable en personne !

Avec sa fossette au menton, ses yeux rieurs, il avait l'air gai et détendu d'un adolescent, songea-t-elle, troublée. Et son charme n'en était que plus ravageur… Il aurait été si agréable de rire et plaisanter avec lui, de laisser s'épanouir entre eux cette fantaisie qui ne demandait qu'à s'exprimer, de ne plus être sur ses gardes quand il lui parlait, quand il lui souriait !

Malheureusement, ce n'était qu'un vœu pieux : elle devait au contraire redoubler de vigilance. D'abord parce que le tourbillon d'émotions qu'elle éprouvait en sa présence l'effrayait, et enfin et surtout parce que le terrain était miné. Une parole de trop, un faux pas, et ce serait la catastrophe : il apprendrait son secret. Pas question donc de retomber sous son charme et de relâcher son attention. Dorénavant, non seulement elle se méfierait plus que jamais d'elle-même, mais elle se montrerait aussi désagréable que possible pour décourager définitivement Rick de rechercher sa compagnie.

Elle prit une gorgée et se redressa sur son siège avec une ostensible raideur.

— Monsieur Prince…, commença-t-elle.

Il posa son verre de scotch d'un geste brusque.

— Ne trouves-tu pas absurde d'être aussi formaliste avec un homme dont tu as partagé le lit ? asséna-t-il d'une voix posée.

Le lit, le canapé… la moquette. Et la douche, acheva-t-elle mentalement, bouleversée. Comme si c'était hier, elle se souvenait de chacun des endroits où ils avaient fait l'amour, incapables de se rassasier l'un de l'autre. Et lui aussi, à n'en pas douter. Mais à quoi bon songer au passé ? En tout cas, il n'était pas question de l'évoquer avec lui !

— Quand je parlais de jeu dangereux tout à l'heure, ça n'avait rien à voir avec toi, répliqua-t-elle en sautant délibérément du coq à l'âne.

— Ah, me voilà rassuré ! s'exclama-t-il d'un air narquois en s'installant confortablement sur le canapé.

— Non, je pensais à Dee et à Jérôme, poursuivit-elle.

Elle avait enfin trouvé un moyen de détourner l'attention de Rick de sa propre personne ; le couple Powers ferait parfaitement l'affaire, puisque Rick s'intéressait toujours à Dee. Elle n'avait qu'à évoquer la jalousie de Jérôme pour occuper l'esprit de Rick.

— Ah oui ? Où est le problème ? Tu m'as fait remarquer tout à l'heure qu'ils étaient très heureux, et en effet c'est l'impression qu'ils donnent. Tant mieux pour eux !

— Ils sont très heureux en effet, mais tu ne dois pas oublier que Jérôme est excessivement jaloux, corrigea Sapphie.

— Ce qui peut se comprendre, admit Rick. Il est plus âgé qu'elle, et Dee est dans tout l'éclat de sa beauté.

Sapphie hésita un instant.

— Le problème est qu'elle n'en fait souvent qu'à sa tête, fit-elle observer. Elle a tellement été habituée à être le point de mire général qu'elle ne peut pas s'empêcher de faire du charme aux uns et aux autres. Inutile de te dire que Jérôme n'apprécie pas toujours. Et que de temps en temps, il y a de l'eau dans le gaz.

— Je peux comprendre, fit Rick. Mais je ne vois toujours pas le rapport avec moi.

Sapphie retint un soupir d'exaspération. Pourquoi refusait-il de mordre à l'hameçon ?

— Allons, ne me prends pas pour une idiote, je sais bien que tu es toujours amoureux de Dee ! s'exclama-t-elle avec une brutalité délibérée.

— Tiens donc !

— Mais bien sûr, c'est évident, assura-t-elle, péremptoire.

Rick eut un étrange sourire.

— Très bien, fit-il observer d'un ton neutre. Puisque tu l'affirmes…

Il n'y mettait vraiment pas du sien, se dit Saphhie exaspérée.

— Voyons, Rick, ce que j'en dis, c'est pour toi ! J'essaie seulement de t'aider, de te mettre en garde, expliqua-t-elle d'un ton pénétré.

— Je vois, murmura-t-il, toujours aussi flegmatique.

Devant un tel manque de coopération, un soupir lui échappa. Peut-être fallait-il forcer encore un peu le trait pour voir Rick réagir enfin ?

— Sache que le dernier type qui a eu l'audace de tourner autour de Dee a perdu son job. Il était reporter au *New York Times*, dont le propriétaire, malheureusement pour lui, est un grand ami de Jérôme, déclara-t-elle d'un ton grave. Et je suis sûre que tu as entendu parler de cet acteur qui s'est intéressé d'un peu trop près à elle sur un tournage et à qui on a retiré le rôle-titre du jour au lendemain. Tu vois, tu devrais te méfier de Jérôme !

— Parce que tu penses qu'il pourrait m'arriver ce genre de

choses à moi aussi ? interrogea Rick sans se départir de son ton vaguement ironique. Je ne suis pas du tout inquiet, mais en tout cas je te remercie de ta sollicitude.

— Ce n'est pas toi qui me soucies, expliqua-t-elle, c'est Dee.

Rick sembla réfléchir.

— Tu veux dire que…

Il s'interrompit un instant et lança à Sapphie un regard stupéfait.

— Il pourrait se venger sur elle ? Se montrer violent ? s'écria-t-il. Non, je ne peux pas le croire !

— Bien sûr que non ! rétorqua-t-elle, excédée. Jérôme ne lèverait pas la main sur elle, grand Dieu ! D'ailleurs, elle l'aime profondément, mais à sa façon.

— A sa façon ? Que veux-tu dire ?

— Il comble son besoin de sécurité, il fait en quelque sorte office d'image paternelle, expliqua-t-elle. Il lui a rendu la stabilité qu'elle recherchait depuis la mort de son père.

Rick haussa les épaules, incrédule.

— Comment peux-tu échafauder autant d'hypothèses autour de cette pauvre Dee ? demanda-t-il en levant les yeux au ciel. On dirait que tu la connais parfaitement, alors que, je te le rappelle, elle n'est que la femme de l'homme dont tu étais amoureuse.

— Ce ne sont pas des hypothèses, protesta Sapphie.

— Si, des élucubrations même, je dirais ! Je trouve cet intérêt que tu as pour Dee très suspect, si tu veux le fond de ma pensée ! Qu'est-ce que ça cache au juste ?

— Rien du tout. C'est toi qui as l'esprit tordu ! Je ne vois pas en quoi il serait anormal de s'inquiéter pour sa sœur, nom d'une pipe !

Rick s'écarta et la dévisagea avec stupéfaction.

— Tu as dit, sa sœur ? bégaya-t-il quand il fut enfin capable de parler.

— Oui. Dee est ma petite sœur. Tu ne savais pas ?

Il hocha la tête négativement.

Sapphie réalisa alors qu'elle n'avait jamais eu l'occasion de lui expliquer son lien de parenté avec Diamond. D'ailleurs, pourquoi aurait-elle évoqué le sujet, cinq ans auparavant ? A l'époque, ils avaient eu bien autre chose à faire que discuter…

Rick restait pantois.

Sapphie était la sœur de Dee ! Celle-la même qui, avec leur mère, avait fait pression sur sa petite amie pour qu'elle épouse Jérôme ! C'était incroyable !

Jusque-là, il avait toujours supposé qu'elles étaient tout simplement amies, sans jamais se douter de la nature réelle de leurs relations.

Il comprenait mieux à présent l'étrange attitude de Sapphie. Voilà pourquoi elle était si impliquée dans le couple que Dee formait avec Jérôme, voilà pourquoi elle le dissuadait avec tant d'insistance de s'approcher d'elle. Elle protégeait sa sœur, voilà tout !

— Mais vous n'avez pas le même nom, murmura-t-il enfin comme s'il se parlait à lui-même.

Sa remarque était stupide, se dit-il aussitôt. Dee avait certainement choisi un nom de scène quand elle avait embrassé sa carrière d'actrice. Mais son étonnement était tel qu'il était incapable de formuler des paroles cohérentes.

— En effet, nous sommes demi-sœurs, précisa Sapphie. J'avais deux ans quand ma mère a épousé Fergus Mc Call, le père de Diamond. Elle est née un an plus tard.

Rick se leva et se dirigea vers la baie vitrée qui donnait sur l'avenue. D'un œil distrait, il observa la foule de badauds et de touristes qui déambulait sur les trottoirs. Cette nouvelle le replongeait de nouveau cinq ans en arrière, ce jour où il

34

avait compris qu'il perdait Dee à jamais… Et où il avait fait la connaissance de Sapphie.

A la lumière ce qu'il venait d'apprendre, il voyait à présent les événements sous un éclairage nouveau. Sa rencontre avec Sapphie était-elle aussi fortuite qu'il l'avait cru sur le moment ? La jeune femme ne l'avait-elle pas suivi dans sa chambre d'hôtel dans le seul but de l'éloigner de Dee ? Elle semblait si impliquée dans les affaires de sa sœur que tout était envisageable…

Il fronça les sourcils et lança à Sapphie un regard suspicieux.

— Je sais ce que tu es en train de penser ! s'exclama-t-elle alors avec fougue. Je parie que Dee t'a brossé un tableau apocalyptique de notre famille en se faisant passer pour une martyre ! C'est ça ?

Il ne répondit pas.

— Je vois bien à ton silence que j'ai raison, reprit-elle, l'air sombre. Dee a dû te raconter qu'on l'avait obligée à épouser Jérôme ! Je sais que c'est ce dont elle a essayé de se persuader à un moment… Mais il faut que tu saches que la mort de son père alors qu'elle avait treize ans l'a traumatisée. Elle a réagi en nous rejetant toutes les deux, ma mère et moi, en s'imaginant qu'elle seule aimait vraiment Fergus. Elle prétendait que nous étions contre elle, que nous voulions régenter sa vie, que seul son père la comprenait. Cela a duré quelques années, jusqu'à ce qu'elle mûrisse et réalise enfin que la réalité était tout autre. Cette prise de conscience a coïncidé avec le moment où elle a rencontré Jérôme. Mais apparemment, elle a continué dans son délire avec toi. Pour se faire plaindre, probablement, pour se rendre intéressante. Aujourd'hui, Dieu merci, elle est mieux dans sa peau, et le fait de vivre avec Jérôme l'a apaisée. Il la prend en charge, il remplace un peu le père qu'elle a perdu.

Sapphie chercha son regard, mais il garda le silence.

— Tu ne me crois pas ? demanda-t-elle. Je sais, ça peut

paraître étrange, mais il paraît que ce n'est pas si inhabituel chez les adolescentes. Il faut dire qu'elle adorait son père, dont elle était la fille unique. A sa mort, son univers a basculé. Nous avons fait notre possible, ma mère et moi, pour l'entourer de notre affection, mais rien ne pouvait le remplacer à ses yeux. Elle nous en a voulu de l'encourager à tourner la page. Elle vivait notre attitude comme une trahison envers sa mémoire. Et pendant un temps, elle nous a détestées…

Sapphie était presque convaincante, mais malgré toute son éloquence, elle ne parviendrait pas à ses fins ! se dit Rick. Il refusait l'idée même que Dee, dont il avait été éperdument amoureux, ait pu lui mentir ainsi. La vérité était certainement ailleurs ; pour d'obscures raisons, Sapphie et sa mère avaient décidé que Dee épouserait Jérôme. Un jour, il tirerait cette affaire au clair. La nuit qu'il avait passée avec Sapphie avait-elle fait partie de leur stratégie ? Il l'ignorait encore, mais d'une façon ou d'une autre il en aurait le cœur net. En tout cas, il n'avait plus aucune envie de prolonger ce tête-à-tête.

Il se leva brusquement et jeta un coup d'œil à sa montre.

— Il est temps de descendre retrouver les autres, déclara-t-il d'un ton sec.

Comme Sapphie ne réagissait pas, il la prit par le bras sans ménagement.

— Laisse-moi, voyons ! protesta-t-elle, choquée par ce manque d'égard.

Elle tenta vainement de se dégager, mais il la maintenait d'une main ferme. Leurs regards se croisèrent, s'affrontèrent, chacun mettant l'autre au défi de céder et de baisser les yeux. Ce duel silencieux dura quelques secondes, aucun ne voulant lâcher prise. Puis, brusquement, il attira la jeune femme à lui et écrasa sa bouche sur la sienne.

Voulait-il la punir, lui prouver qu'il la tenait en son pouvoir, la blesser dans son orgueil ? Il l'ignorait : il agit sur un coup de tête, cédant à une pulsion aussi subite qu'irrépressible.

Il lui prit les lèvres avec une violence mal contrôlée, fouillant sa bouche avec une rage qu'il n'avait jamais éprouvée auparavant. Puis, aussi soudainement qu'il l'avait embrassée, il la lâcha, réalisant brusquement que sa conduite était inqualifiable.

Pourquoi l'humilier ainsi ? se demanda-t-il en voyant la jeune femme trembler de tous ses membres en retenant ses sanglots. Que voulait-il lui faire payer ? Le fait de s'être donnée à lui pour d'obscures raisons cinq ans auparavant ? Tout cela était si loin ! Au lieu de réagir de manière aussi infantile, il aurait dû passer son chemin, lui opposer une totale indifférence. Comment pouvait-il manquer de recul à ce point ?

Mais ses remords ne durèrent pas longtemps : il se remémora les horreurs que Sapphie lui avait racontées sur Dee. Par ses mensonges, elle avait cherché à ternir l'image de celle qu'il avait aimée, et il ne pouvait pas le supporter.

— Ne t'attends pas à ce que je te présente mes excuses ! lança-t-il enfin pour lui montrer qu'il ne regrettait rien.

Sapphie mit quelque temps à reprendre le contrôle d'elle-même.

— Rassure-toi, rétorqua-t-elle quand elle fut enfin capable de parler, je ne me suis jamais attendue à quoi que ce soit de bon de ta part, Rick Prince.

— Que veux-tu dire exactement ?

— Rien, répondit-elle d'une voix sourde.

Devant son désarroi, Rick éprouva de nouveau un pénible sentiment de culpabilité. Il n'avait que mépris pour elle, mais il n'aurait jamais dû agir de cette odieuse façon. Il ne se reconnaissait plus.

— Allons les rejoindre, décida-t-il en évitant son regard.

Il avança la main vers la jeune femme pour la faire passer

devant lui, mais elle recula aussitôt, comme si elle avait peur qu'il effleure son bras nu.

Elle n'avait rien à craindre, songea-t-il alors avec amertume. Il n'avait plus la moindre envie de la toucher, ni de l'approcher de près ou de loin. Désormais, il l'éviterait le plus possible. D'ailleurs, dès le lendemain, leurs chemins se sépareraient de nouveau. Et cette fois-ci, il l'espérait, pas seulement pour cinq ans, mais pour le reste de leurs existences !

4.

— Tu es bien calme ce soir, Sapphie ! Quelque chose ne va pas ?

Sapphie se tourna vers son beau-frère avec un sourire forcé.

En effet, elle n'avait aucune envie de parler, et de toute façon elle aurait eu le plus grand mal à s'exprimer si elle l'avait souhaité. En effet, Dee et Rick ne cessaient de monopoliser la conversation depuis le début du dîner, évoquant des événements et des personnes qui lui étaient totalement étrangers. Jérôme lui-même restait silencieux, se contentant d'émettre une remarque de temps à autre pour manifester sa présence.

Si Rick avait voulu éveiller la jalousie de ce dernier, il ne se serait pas comporté différemment, songea-t-elle en retenant un soupir découragé. Ce n'était pourtant pas faute de l'avoir mis en garde…

— Ce n'est rien, répondit-elle. Une petite migraine…

— Tu as mal à la tête ? intervint Dee d'un air soucieux, interrompant brutalement sa conversation avec Rick. Attends, j'ai ce qu'il te faut : de l'aspirine. Le remède miracle !

Elle se mit à fourrager dans sa grande besace toute neuve, mais Sapphie l'arrêta d'un geste.

— Non merci, coupa-t-elle, je ne crois pas que ce soit une

39

bonne idée après deux coupes de champagne. En fait, j'aurais juste besoin d'une longue nuit de sommeil.

Et surtout de ne plus voir Rick, ajouta-t-elle en son for intérieur.

Peut-être Dee et Jérôme n'avaient-ils rien remarqué, mais celui-ci ne lui avait pas adressé la parole de toute la soirée. Tout simplement comme si elle n'avait pas existé ! Il n'avait eu d'yeux que pour Dee, ce qui n'avait pas échappé à Jérôme, dont les sourcils de plus en plus froncés n'auguraient rien de bon. Dee, quant à elle, était comme un poisson dans l'eau, parfaitement dans son élément dès qu'un homme lui faisait la cour. Elle souriait et papillonnait, éclatait de son rire haut perché, ravie d'attirer l'attention et de jouer — en toute innocence malgré tout — de sa féminité et de son charme. Même si Sapphie était souvent agacée par ce comportement puéril, au fond elle ne pouvait pas lui en tenir rigueur. Dee était comme un feu follet, facilement grisée par les sunlights, en apparence frivole et seulement préoccupée d'elle-même et du pouvoir que sa beauté lui conférait sur les hommes. Mais en réalité, Dee aimait son mari, elle en était convaincue.

— Désolée d'interrompre la soirée, déclara-t-elle tout à coup en posant sa serviette sur la table, mais je vais rentrer à mon hôtel. J'ai besoin de me reposer. Surtout, prenez votre café tranquillement et continuez sans moi !

— Pas question, asséna Rick d'une voix qui n'admettait pas la réplique. Je te raccompagne.

De surprise, Sapphie faillit s'étrangler. A quoi rimait cette proposition, alors qu'il ne lui avait pas adressé la parole depuis deux heures ? Elle n'y comprenait plus rien.

— Non, je t'assure, je peux très bien marcher toute seule, affirma-t-elle. Mon hôtel est à deux pas.

— Je sais, mais j'insiste, dit Rick. Il est tard, et je ne voudrais pas que tu fasses de mauvaises rencontres. D'ailleurs, je suis certain que Dee et Jérôme ont hâte de se retrouver en tête à tête. Ne dit-on pas que Paris est la ville des amoureux ? ajouta-t-il en souriant.

Justement ! faillit s'exclamer Sapphie. Elle ne voulait à aucun prix d'une promenade romantique avec Rick Prince ! Sa présence lui était si pénible qu'elle n'avait qu'une hâte : se retrouver seule dans sa chambre d'hôtel, loin de lui.

Pendant cet échange, le regard de Dee allait de l'un à l'autre. A l'évidence, elle était dépitée que Rick lui fasse ainsi faux bond, car elle perdait un admirateur de choix.

— Mais voyons, Rick, quelle idée ! s'écria-t-elle d'un air contrarié. Ce n'est pas comme si Jérôme et moi découvrions Paris ! Nous y avons déjà séjourné des dizaines de fois auparavant !

— Et nous y retournerons encore bien souvent, je n'en doute pas ! renchérit Jérôme. Cela dit, Rick n'a pas tort, et je marcherai bien le long des quais pour admirer la tour Eiffel illuminée avant d'aller me coucher... L'air est si bon, ce soir. Qu'en penses-tu, chérie ?

Sapphie regarda Dee hésiter un instant. Lui abandonner son chevalier servant ne semblait guère enchanter sa petite sœur. Si elle avait su à quel point la perspective de se voir escortée par Rick lui déplaisait, elle aurait été rassurée, songea Sapphie avec une ironie amère.

Mais Dee dut conclure qu'il était inutile de faire une scène, car elle se tourna vers son mari et lui adressa un de ces sourires éclatants dont elle avait le secret.

— Bien sûr, mon amour, approuva-t-elle en le prenant par le bras. C'est une excellente idée !

Sapphie retint un soupir de soulagement. Certes, Jérôme se montrait patient et compréhensif, mais Dee ne savait pas toujours quand s'arrêter. Même si, ces derniers temps, elle avait constaté que sa sœur se montrait plus raisonnable, et parfois même étonnamment conciliante avec son mari. Peut-être devenait-elle enfin adulte…

Le visage de Jérôme se détendit tout à fait. Rick, quant à lui, affichait une expression impénétrable, et elle aurait donné cher pour savoir ce qu'il pensait vraiment.

Etait-il déçu de quitter Dee ? Sa proposition de la raccompagner faisait-elle partie d'une tactique pour endormir la méfiance de Jérôme ? Elle restait perplexe…

Jérôme avait raison : dehors, il faisait bon, et une foule dense se pressait sur les larges trottoirs des Champs-Elysées. Après quelques minutes de marche pendant lesquelles ils n'échangèrent pas un mot, Sapphie se tourna vers Rick.

— Je t'en prie, laisse-moi ici, déclara-t-elle. Mon hôtel est au bout de la rue, je peux très bien rentrer toute seule à présent.

Ils avaient quitté Dee et Jérôme devant le Fouquets, après moultes embrassades et promesses de se revoir bientôt. Puis le couple était parti en direction de la Seine, tendrement enlacé. A présent qu'elle était seule avec Rick, Sapphie n'avait plus aucune raison de jouer la comédie, et sa voix trahissait un très net agacement.

La présence de Rick la perturbait plus qu'elle ne voulait l'admettre. En cinq ans, elle avait réussi à se convaincre qu'elle ne le reverrait jamais, et que si leur aventure éclair le jour du mariage de Dee avait bouleversé son existence, il en était définitivement sorti…

Mais elle se trompait. Non seulement leurs chemins s'étaient croisés de nouveau contre toute attente, mais elle le trouvait plus fascinant que jamais. Quand il l'avait prise dans ses bras pour l'embrasser, et malgré la violence de son baiser, elle avait réalisé avec horreur qu'elle s'était trompée sur elle-même : en réalité, elle était toujours amoureuse de lui.

Rick était perturbé. Il venait de passer une des soirées les plus dérangeantes de son existence.

Quand il était tombé nez à nez avec Dee en plein milieu des Champs-Elysées, il avait cru un instant que cette histoire inachevée allait reprendre, qu'il pourrait peut-être reconquérir cette femme qui hantait ses pensées depuis cinq ans. Mais il avait bien vite ouvert les yeux… Il avait cru nourrir pour elle un amour éternel, et il s'apercevait tout bonnement qu'il s'était leurré sur ses propres sentiments. Leur dîner à quatre n'avait fait que confirmer cette impression : Dee n'avait certes rien perdu de son éclatante beauté, mais elle lui apparaissait désormais terriblement artificielle, beaucoup trop fabriquée à son goût. Il n'avait rien à regretter, d'autant qu'elle formait un couple parfait avec Jérôme. Pendant toutes ces années il avait été amoureux d'une image, et la réalité ne correspondait pas à la créature idéale à laquelle il avait si longtemps rêvé. Il tombait de haut, mais il était définitivement guéri.

Et puis il avait retrouvé Sapphie, avec laquelle il avait partagé une seule et unique nuit d'amour, si torride que chaque instant en était resté gravé dans sa mémoire.

La revoir l'avait stupéfait… Mais le pire avait été d'apprendre qu'elle était la demi-sœur de Dee, celle-la même qui, avec sa mère, avait poussé cette dernière à épouser Jérôme. Aussi avait-il mis un point d'honneur à l'ignorer pendant tout le dîner qui venait de s'écouler. Qu'elle comprenne ou pas les raisons de sa mauvaise humeur, il n'en avait cure, mais il détestait la sensation d'avoir été floué !

Mais surtout, et c'est cela qui le perturbait le plus, il l'avait littéralement forcée à l'embrasser ! Lui, d'habitude si maître de lui-même, si respectueux du sexe faible, il avait cédé à la plus primitive des pulsions, comme un affreux macho ! Des trois frères Prince, il passait d'ordinaire pour le plus raisonnable, au contraire de Nick qui s'emportait volontiers. Mais cette fois, il avait fait mentir cette rumeur. Jamais il ne s'était senti aussi honteux.

— Je te dois des excuses, déclara-t-il tout à coup, décidé à mettre les choses au clair.

— Tu ne vas pas recommencer, j'espère ! s'exclama Sapphie, agacée. Je t'ai déjà expliqué que tu ne me dois rien du tout !

Il lui jeta un coup d'œil surpris. Pourquoi paraissait-elle si fébrile dès qu'il lui adressait la parole ? Sur ses gardes, comme si elle avait peur de lui ? Pourtant, il ne lui voulait aucun mal !

— Si, je te dois des excuses, répéta-t-il du même ton posé. Je ne sais pas ce qui m'a pris. Je ne me suis jamais comporté avec aucune femme comme je l'ai fait tout à l'heure avec toi, et je le regrette.

— Je t'en prie, ne revenons pas là-dessus, protesta Sapphie d'une voix sourde en détournant le regard.

Pourquoi était-elle si insaisissable, si fuyante ? se demanda-t-il de nouveau. Etait-il donc impossible de communiquer simplement avec elle sans qu'elle se replie sur elle-même et lui échappe ?

— Mais enfin, Sapphie, tu peux quand même m'écouter quand je te présente mes excuses ! s'exclama-t-il d'une voix étranglée.

Elle haussa les épaules d'un air indifférent qui acheva de l'exaspérer.

— Si ça peut te faire plaisir, finit-elle par murmurer d'un ton las, comme si les préoccupations de Rick étaient le cadet de ses soucis.

— Ce n'est pas une question de plaisir ! rétorqua-t-il sèchement.

Il ne lui expliqua pas qu'il cherchait à calmer sa conscience, elle aurait été trop contente.

Ils se regardèrent quelques instants en chiens de faïence, et il se résolut à abandonner le sujet tant Sapphie avait l'air sur la défensive.

— Sapphie... C'est un drôle de nom, murmura-t-il, sautant délibérément du coq à l'âne pour essayer de détendre l'atmosphère. D'où vient-il ?

Il crut voir une lueur d'amusement briller dans ses yeux aux reflets dorés.

— Tu ne devines pas ? murmura-t-elle.

Il réfléchit un instant.

— Laisse moi chercher... Sapphie, saphir ? Ton nom viendrait de saphir ?

— Exactement.

— Bien sûr, je comprends : Diamond et Saphir ! Les pierres précieuses...

Jusqu'à présent, il avait toujours considéré que Nick, Rick et Zack, les prénoms choisis par ses parents pour leurs trois fils, étaient le comble de l'excentricité, mais la mère de Sapphie avaient fait encore mieux.

— En effet. Mais ne prends pas cet air effaré, ç'aurait pu être pire : nous avons échappé à rubis et émeraude, fit observer Sapphie en retenant un sourire.

— En effet... Je parie que quand tu auras à ton tour des enfants, tu les appelleras John et Mary !

La tension entre eux se relâcha quelque peu, mais pas pour longtemps. Quelques mètres plus loin, Sapphie s'arrêta net et se tourna vers lui d'un air fâché.

— Je t'ai dit que ce n'était pas la peine de me raccompagner jusqu'à l'hôtel ! reprit-elle, têtue. Je me balade dans Paris depuis quatre jours sans escorte, je ne vois pas pourquoi je devrais commencer aujourd'hui !

Il l'observa, déconcerté par ce soudain revirement. Sapphie lui souriait, et un instant après elle voulait le chasser ! Etait-ce elle qui ne tournait pas rond ou lui qui ne comprenait rien aux femmes ? Parfois, il se posait la question…

Depuis le mariage de Dee, il avait eu plusieurs aventures, espérant chaque fois que la nouvelle élue effacerait dans son esprit le souvenir de la jeune femme. Mais en vain : il avait toujours été déçu.

Avec Sapphie, c'était différent… Elle ne ressemblait à aucune des filles qu'il avait connues. Il y avait quelque chose en elle qu'il ne saisissait pas et qui éveillait définitivement sa curiosité. Une zone d'ombre qu'il avait envie d'éclaircir…

— Pourquoi êtes-vous intervenues, toi et ta mère, dans la décision de Dee d'épouser Jérôme ? demanda-t-il soudain, suivant le cours de ses pensées.

Elle poussa un soupir exaspéré.

— Tu ne vas pas remettre ce sujet sur le tapis ! s'exclama-t-elle, furieuse. Je ne sais pas d'où tu sors cette idée, mais tu fais fausse route ! J'ignore de quoi tu parles.

— Voyons, Sapphie…

Elle l'interrompit d'une voix coupante.

— Je te dis que tu divagues ! Pourquoi aurais-je insisté pour que ma sœur épouse celui dont j'étais amoureuse ? Tu vois bien que cette thèse est absurde !

Rick resta muet. En effet, l'argument était valide. Mais pour autant, il ne pouvait se résoudre à admettre que Dee lui ait menti.

Perplexe, il observa Sapphie. La colère avait rosi ses joues, sa poitrine ronde et ferme se soulevait à un rythme accéléré, et il distingua la forme de ses mamelons sous le tissu de sa robe. Brusquement, des souvenirs de leur nuit d'amour remontèrent à la surface, et un spasme de désir le saisit. Il aurait tout donné

46

pour l'entendre de nouveau soupirer dans ses bras, pour la faire sienne encore une fois.

— Ecoute, Rick, mettons enfin les choses au point, reprit-elle d'un ton plus calme. Je ne sais pas ce que Dee t'a raconté avant son mariage, mais sache qu'à l'époque elle était mal dans sa peau et capable de dire n'importe quoi pour attirer l'attention.

— Rassure-toi, Sapphie, à ce moment-là elle et moi avions d'autres sujets de conversation que toi et ta mère ! coupa-t-il sèchement.

Sapphie eut un sourire crispé.

— Je n'en doute pas, asséna-t-elle d'une voix tendue. Mais je vais te raconter exactement comment les choses se sont passées. Il y a six ans, je travaillais aux USA. Avec Jérôme. J'étais son assistante... Et accessoirement sa petite amie.

— Sa *petite amie* ?

Décidément, il allait de surprise en surprise ! Qu'allait-il apprendre à présent ?

— Oui. Nous allions nous fiancer. Je suis allée en Angleterre avec lui pour le présenter à ma famille, et au premier coup d'œil il est tombé sous le charme de Dee. Un véritable coup de foudre... C'était tellement flagrant qu'il était inutile de se battre. Je me suis effacée. Il a courtisé Dee et fait peu à peu sa conquête. Maman et moi n'avons joué aucun rôle dans leur histoire, conclut-elle.

Ainsi, Dee lui aurait menti, songeait Rick abasourdi. Il avait pourtant encore du mal à admettre la réalité.

— Tu t'es laissée faire sans essayer de reconquérir Jérôme ? demanda-t-il, soupçonneux.

— C'était peine perdue, expliqua Sapphie. Bien sûr, au début j'étais dévastée, et je leur en ai terriblement voulu à tous les deux. Et puis j'ai décidé de tourner la page. D'ailleurs, je suis sûre à présent que nous n'étions pas faits l'un pour l'autre. Cette histoire est derrière moi, et il n'y a aucune ambiguïté dans mes rapports avec Jérôme. Ce qui ne semble pas être ton cas avec Dee, ajouta-t-elle d'un ton perfide.

Rick se crispa aussitôt.

— Que veux-tu dire exactement ? rétorqua-t-il sèchement. Je déteste les sous-entendus !

— Permets-moi de trouver que cette rencontre sur les Champs-Elysées entre toi et Dee est particulièrement étonnante, fit-elle remarquer. Je sais que le hasard fait parfois bien les choses, mais ne l'aurais-tu pas un peu aidé ?

De colère, il serra les poings.

— Rien ne t'autorise à faire des suppositions de ce genre ! s'exclama-t-il, outré. Sache que les femmes mariées, je n'y touche pas ! Je ne suis pas aussi vil que tu sembles le penser !

— Ne dérogerais-tu pas à la règle si tu étais amoureux ?

— Non, asséna-t-il.

Il allait ajouter que de toute façon, il n'était plus amoureux de Dee, mais il se tut. Il n'avait nul besoin de faire des confidences à Sapphie.

Cette dernière observa un moment son air contrarié, ses sourcils froncés.

— Tu ne me crois pas quand je te dis que Dee t'a raconté des histoires, n'est-ce pas ? demanda-t-elle enfin.

— Je n'ai pas dit ça, maugréa-t-il.

Sapphie laissa échapper un soupir.

— Je parie que Dee n'a pas compris à l'époque à quel point tu l'aimais…, murmura-t-elle comme si elle se parlait à elle-même.

Cette remarque ne fit qu'accentuer la perplexité de Rick.

En effet, quand il y repensait, Dee n'avait jamais été très démonstrative à son égard. Le jour de son mariage, elle l'avait à peine regardé, l'embrassant distraitement comme n'importe lequel des nombreux invités. Sur le moment, il en avait conclu qu'elle restait discrète de peur de les trahir, mais la réflexion de Sapphie lui ouvrait les yeux. En fait, elle n'éprouvait rien pour lui…

Quel idiot il avait été ! Comment avait-il pu échafauder pendant cinq ans des châteaux en Espagne autour d'une femme enfant pour laquelle il n'avait jamais vraiment compté ?

— Je préférerais que tu laisses de côté mes sentiments pour Dee, déclara-t-il, les lèvres pincées.

A supposer qu'ils aient jamais existé…, ajouta-t-il en son for intérieur.

Ils étaient arrivés devant l'hôtel de Sapphic.

— Ne prends pas cet air sombre ! s'exclama la jeune femme en se tournant vers lui. Et rassure-toi, dès demain matin tu pourras nous oublier, Dee, Jérôme et moi, puisque nous allons tous repartir dans des directions opposées. Tu vois, il faut toujours voir le bon côté des choses ! ajouta-t-elle d'un ton faussement enjoué.

Rick n'essaya même pas de lui rendre son sourire.

Il n'avait qu'un seul souhait : que cette soirée calamiteuse se termine enfin.

5.

— Mais qu'est-ce que tu fabriques ici ?

Le ton de Sapphie était sans équivoque : se retrouver face à Rick alors qu'elle s'attendait à prendre son petit déjeuner avec Jérôme et Dee ne lui faisait guère plaisir. Et c'était un euphémisme…

Et pourquoi Jérôme n'était-il pas là, alors qu'il lui avait lui-même fixé rendez-vous à cette heure matinale ?

— Je me permets de te faire remarquer que je suis client de cet hôtel, et que si quelqu'un empiète sur le territoire de l'autre, c'est toi ! fit remarquer Rick d'un ton acerbe.

Il ne manquait pas de toupet ! pensa Sapphie. Peut-être était-il résident du George V, mais personne ne lui avait demandé de s'asseoir à la table réservée par Jérôme !

— Ne prends pas cet air furieux, reprit-il comme s'il avait lu dans ses pensées. Si je suis là, c'est parce que j'attends Jérôme, moi aussi.

— Vraiment ?

— Absolument. Peut-être l'ignores-tu encore, mais Dee et lui ont avancé leur départ pour Londres. Ils prennent un train en fin de matinée.

Sapphie hocha la tête. Elle était au courant, car Jérôme l'avait appelée par téléphone pour l'informer de leur changement de programme. Dans un premier temps, elle s'était étonnée qu'ils aient ainsi écourté de plusieurs jours leur séjour à Paris, et puis elle avait réfléchi : Jérôme était un mari tolérant, mais sa patience avait certainement ses limites. Il n'avait pas pu ne pas remarquer l'empressement que Rick manifestait auprès de sa femme, et le plaisir évident que cette dernière en retirait. Peut-être avait-il jugé préférable de ne pas laisser ce petit jeu perdurer ?

— Je sais, enchaîna-t-elle. Depuis hier soir, Jérôme semble tout à coup apprécier beaucoup moins Paris.

Rick leva vers elle un regard inquisiteur.

— Que veux-tu dire exactement ? demanda-t-il sèchement.

A cet instant, le serveur déposa devant elle une tasse de café fumant, ce qui interrompit fort opportunément une conversation qui menaçait de tourner vinaigre.

— Oh, absolument rien ! répliqua-t-elle en affichant un ton dégagé. Et de toute façon, je n'ai aucune envie de commencer à argumenter avec toi au petit déjeuner ! Laisse-moi boire mon café avant de commencer à m'agresser, tu seras gentil.

— Alors, ça va mieux maintenant ? demanda Rick d'un ton ironique.

Sapphie posa sa tasse d'un geste brusque.

— Non, pas vraiment, lança-t-elle. Où sont donc passés Jérôme et Dee ? Ils ont déjà un quart d'heure de retard !

— On devrait commander, ça les fera venir, suggéra Rick. Qu'en penses-tu ? Je meurs de faim, et toi aussi sûrement. Tu as à peine touché à ton dîner, hier soir.

Elle lui lança un regard soupçonneux. Inutile de lui faire croire qu'il s'était intéressé à elle alors qu'il n'avait eu d'yeux que pour Dee, songea-t-elle, cédant à un absurde réflexe de jalousie qu'elle réprima aussitôt. Rick pouvait courtiser qui il voulait, peu lui importait !

— Tu ne crois pas que nous devrions les attendre ? demanda-t-elle en s'efforçant de prendre une voix posée.

Elle achevait à peine sa phrase que le maître d'hôtel arriva. Il se pencha respectueusement vers Rick.

— Monsieur Prince ? Désolé de vous interrompre, mais j'ai un message pour vous. M. Powers m'a chargé de vous dire qu'il ne pourrait pas vous rejoindre. Il s'excuse et vous recontactera ultérieurement. Il vous souhaite de passer un bon moment avec Mlle Benedict.

Rick et Sapphie échangèrent un regard surpris. Encore un changement de programme ? Un tel manque d'organisation ressemblait pourtant peu à Jérôme !

Et si, malgré les apparences, il avait au contraire tout orchestré ? songea tout à coup Sapphie. S'il avait soigneusement organisé ce tête-à-tête entre elle et Rick ? Mais dans quel but ? Pourquoi Jérôme, si discret, jouerait-il tout à coup les entremetteurs ?

Certes, elle savait qu'il s'était senti infiniment coupable autrefois de la quitter pour sa sœur, mais cinq ans avaient passé et leurs rapports étaient aujourd'hui parfaitement normalisés. Il essayait bien de temps à autre de lui présenter ses amis célibataires bien sous tous rapports, mais jamais jusqu'à présent il ne s'était permis ce genre d'initiative, aussi alambiquée qu'inattendue.

S'il avait su que non seulement elle et Rick avaient déjà été amants, mais qu'ils s'entendaient à présent comme chien et chat ! Il n'aurait pas pu plus mal choisir…

D'autant que désormais, Rick était le dernier homme qu'elle voulait faire rentrer dans sa vie… Et dans celle de Matthew.

Matthew. Le fils de Rick.

Pendant les neuf mois où elle avait senti ce bébé se développer en elle, elle n'avait cessé de s'interroger sur ce qu'elle devait faire. Avertir Rick de sa future paternité, alors qu'ils ne s'étaient jamais revus ni même parlé depuis la nuit où cet enfant avait été conçu ?

Pas une fois il n'avait cherché à la joindre, pas une fois il ne s'était inquiété de savoir si elle était enceinte…

Après avoir longtemps hésité, tiraillée qu'elle était entre cette constatation réaliste et le sentiment que d'une part Rick devait être informé, et d'autre part qu'elle n'avait pas le droit de priver son enfant de père, elle avait décidé de ne rien dire. Leur aventure avait été aussi brève qu'insensée, puisqu'à l'époque leurs cœurs à tous deux étaient pris ailleurs. Et même si elle s'était rendu compte aussitôt après avoir quitté Rick qu'elle ne pouvait pas l'oublier, qu'il avait marqué sa chair comme son esprit de manière indélébile, qu'aucun homme après lui ne saurait la séduire, elle savait qu'ils n'avaient pas d'avenir commun.

Car lui ne songeait qu'à Dee, comme chacun avait pu l'observer le jour des noces. Il arborait un étrange air absent, ne quittait pas la mariée des yeux, et même quand il lui avait proposé de finir la nuit à son hôtel, Sapphie avait compris que son esprit était ailleurs. Avec Dee…

Dans ces conditions, pourquoi lui aurait-elle annoncé qu'elle était enceinte de lui ? Il l'avait probablement effacée de son esprit dès le lendemain de leur rencontre !

Personne ne saurait qui était le père de son bébé, s'était-elle donc promis. Et quand Matthew était né, magnifique avec ses grands yeux au bleu profond, débordant de santé, elle s'était félicitée de sa décision. Cet enfant était à elle, à elle seule, et elle lui donnerait tant d'amour qu'il ne s'apercevrait même pas qu'il n'avait pas de père… Elle ne se battrait avec personne pour en avoir la garde, pour partager week-ends et vacances scolaires. Elle se consacrerait entièrement à construire son bonheur, sans conflit, sans affrontement.

Jusque-là, elle n'avait jamais regretté sa décision. A quatre ans,

Matthew était un enfant adorable et gai, et elle s'enorgueillissait d'avoir contribué à en faire un être parfaitement équilibré. Elle leur avait construit à tous deux une vie harmonieuse et assumait parfaitement sa situation de mère célibataire.

De façon à être plus disponible pour lui, elle avait quitté son poste d'assistante pour devenir critique de cinéma et de théâtre. Elle avait toujours aimé écrire, et ses nombreux contacts dans le monde du show business lui avaient ouvert les portes. De fil en aiguille, à force de fréquenter ce milieu si particulier, elle avait eu l'idée d'un livre. Un roman policier, avec des meurtres à Hollywood, un acteur connu en suspect numéro un, et une héroïne aussi belle que mystérieuse poursuivie par un admirateur fou. Le succès avait été immédiat, et elle s'était attelée récemment à la rédaction d'un deuxième roman. Tout semblait parfaitement organisé désormais dans son existence : elle avait un fils adorable, une notoriété grandissante, des revenus confortables...

Et puis, tel un diable sorti de sa boîte, Rick Prince avait refait irruption dans sa vie, et avec lui toutes les questions qui la minaient.

Le danger était là, presque palpable. Si elle se trahissait et éveillait sans s'en rendre compte la curiosité de Rick ? Si, par malheur, il rencontrait Matthew ? Alors, ce serait la catastrophe. Le petit garçon lui ressemblait de façon si frappante qu'il comprendrait aussitôt.

Peut-être Jérôme avait-il déjà fait le rapprochement ? songea-t-elle tout à coup, affolée. Cela expliquerait sa volonté de la jeter dans les bras de Rick... Après quelques secondes de réflexion, elle écarta cette hypothèse : Jérôme n'avait pas vu Matthew depuis près de deux ans, alors qu'il était encore presque un bébé. La ressemblance physique entre le père et le fils n'était pas aussi flagrante à l'époque...

Si elle restait sur ses gardes et évitait tout impair, Rick ne pourrait pas découvrir la vérité, tenta-t-elle de se convaincre.

Rick avait mal dormi.

Malgré la blessure infligée à son ego, il avait enfin admis que la version de Sapphie était la bonne : Dee n'était vraisemblablement qu'une affabulatrice. Contrairement à ce qu'elle lui avait fait croire à l'époque, personne ne l'avait obligée à épouser Jérôme, bien au contraire. Pour passer pour une martyre à ses yeux, pour se faire plaindre, elle avait forgé de toutes pièces cette histoire rocambolesque. Et lui, idiot qu'il était, non seulement il n'avait rien compris, mais il était rentré dans son jeu en la considérant comme une victime, prêt à la venger tel un chevalier sur son destrier blanc !

L'arrivée du serveur le tira de ses pensées. Il le regarda avec intérêt déposer sur la table une corbeille chargée de viennoiseries plus appétissantes les unes que les autres.

— Ces croissants ont l'air délicieux ! s'exclama-t-il.

Il arborait la mine réjouie et les yeux brillants d'un petit garçon devant une boîte de bonbons, et Sapphie ne put visiblement pas s'empêcher de sourire. Son visage s'éclaira soudain, ses traits se détendirent, ce qui n'échappa pas à Rick.

Si elle pouvait baisser les armes plus souvent ! songea-t-il, ébloui. Son visage exprimait une telle douceur qu'il se sentit fondre d'attendrissement. Comme il aurait aimé pouvoir discuter avec elle de tout et de rien, bavarder et plaisanter en confiance, au lieu de la voir se retirer dans sa coquille dès qu'il lui adressait la parole, comme si elle craignait qu'il la morde !

Mais, sans qu'il comprenne pourquoi, le sourire de Sapphie s'évanouit aussi brusquement qu'il était apparu, et une expression soucieuse assombrit ses traits. D'un geste, elle refusa le panier qu'il lui présentait.

— Je n'ai pas faim, décréta-t-elle, de nouveau sur la défensive.

— Comme tu voudras, fit Rick, je ne t'oblige pas à manger. Dès que j'aurai englouti quelques-unes de ces viennoiseries, je suis à ta disposition pour une petite promenade, si tu préfères marcher.

Elle tapota d'un geste nerveux sur la table pendant qu'il s'emparait d'un pain au chocolat avec une mine gourmande.

— Ecoute, Rick, je crois t'avoir déjà dit que je n'ai aucunement l'intention de passer plus de temps que nécessaire en ta compagnie, déclara-t-elle d'un ton sec.

— En effet, tu as dû mentionner la chose une ou deux fois, fit-il observer d'un ton anodin. Peut-être même trois.

Et sur ces paroles, il attaqua avec vigueur un croissant.

Dans les yeux de Sapphie, l'or s'assombrit soudain, et son regard se fit menaçant.

— Donc, tu sais ce que je pense de ta suggestion de promenade, asséna-t-elle froidement.

Il éclata de rire devant son air offusqué.

— Ne me regarde pas comme si j'étais un violeur en puissance ! rétorqua-t-il avec vivacité. Il ne s'agit que de faire quelques pas ensemble, ce qui est une activité tout à fait innocente, non ?

Comme elle ne répondait pas, il vida sa tasse et se leva d'un air d'autorité.

— Allez, viens, insista-t-il. Il fait un soleil radieux, et marcher nous fera du bien. Mes intentions sont parfaitement honorables, je t'assure !

Sapphie était trop épuisée par sa nuit sans sommeil pour protester. D'ailleurs, Rick avait raison : pourquoi faire un

56

esclandre pour une simple promenade ? Elle se leva donc et le suivit à l'extérieur.

Mais dès qu'ils se mirent à marcher le long des quais, elle regretta de s'être laissé faire. Cette balade en tête à tête avec Rick était absurde. Pourquoi avait-elle accepté, alors qu'il était clair qu'elle devait à tout prix le tenir à distance ? Plus elle passait du temps à ses côtés, plus elle risquait de se couper et de lui révéler involontairement l'existence de Matthew !

— Je suis vraiment stupide, murmura-t-elle comme si elle se parlait à elle-même. Aussi stupide qu'il y a cinq ans…

— Je n'ai jamais pensé que tu étais stupide, Sapphie, protesta Rick avec une soudaine gravité.

Sapphie avançait comme un automate, fixant la tour Eiffel sans la voir. Malgré elle, ses pensées la ramenaient en arrière, le jour du mariage de Dee…

— En tout cas, il y a cinq ans, tu t'es servi de moi sans le moindre scrupule pour oublier Dee, fit-elle observer avec un cynisme amer. Et je n'y ai vu que du feu.

Rick fronça les sourcils.

— Ne cherchais-tu pas, toi aussi, à oublier Jérôme ? enchaîna-t-il après un silence.

— Je ne sais pas ce que je cherchais… Mais sache que je n'ai jamais été la maîtresse de Jérôme, ajouta-t-elle, cédant à une impulsion subite. Tu étais le premier, Rick… Mais tu étais tellement préoccupé par ta propre histoire avec Dee que tu ne t'en es même pas rendu compte !

A peine avait-elle prononcé ces paroles qu'elle les regretta. Pourquoi diable lui faire des confidences aussi intimes ? Cinq années avaient passé sans qu'ils se revoient, alors pourquoi revenir sur cette éphémère nuit d'amour ?

De surprise, Rick resta d'abord muet.

— Ainsi, je ne n'étais pas trompé ! murmura-t-il enfin. Ce

soir-là, tu étais vierge ! Sur le moment, j'ai eu un doute, et puis l'ardeur que tu as manifestée dans mes bras m'a convaincu que je ne pouvais pas être le premier. D'ailleurs, quelle femme offrirait sa virginité à un parfait inconnu qu'elle a toutes les chances de ne jamais revoir ?

6.

Comment rattraper les choses ? songeait Sapphie, au supplice.
A présent, Rick allait la questionner, revenir sur cette nuit
qu'ils avaient passée ensemble, peut-être même s'interroger
sur ses conséquences ! Et s'il devinait qu'elle n'était pas sous
contraception ? Que lui répondrait-elle s'il abordait ce point ?
Parviendrait-elle à ne pas se trahir ?

Il fallait absolument faire diversion.

— D'ailleurs, je ne sais pas pourquoi je te raconte tout ça,
reprit-elle en affichant un air désabusé. Comme tu dois t'en
douter, j'ai eu des aventures depuis, et cette époque me paraît
bien lointaine !

Elle constata à l'air contrarié de Rick que son stratagème
fonctionnait. Désagréablement surpris par ce qu'il venait d'entendre, celui-ci semblait avoir tout à coup oublié ses étonnantes
révélations...

— Tiens donc ! fit-il avec une ironie cinglante. Si je comprends
bien, tu t'es rattrapée en collectionnant les amants ? Il faut
t'expliquer longtemps, mais tu apprends vite, ma chère !

Ses paroles étaient chargées d'un tel mépris qu'elle se
figea, oubliant presque que c'était elle qui l'avait délibérément
provoqué.

— Inutile de m'insulter ! lança-t-elle sèchement. Pourquoi

sommes-nous incapables de nous côtoyer cinq minutes sans nous envoyer des amabilités à la figure, tu veux me le dire ?

— Je n'ai pas d'explication.

— Sans doute ne sommes-nous tout simplement pas faits pour nous entendre…

Elle s'appuya d'un air pensif sur le parapet et se plongea dans la contemplation de la Seine. Entre deux nuages, le soleil matinal éclairait son visage, et la brise faisait voleter ses boucles auburn.

— Tu es exaspérante, c'est un fait, soupira Rick. Exaspérante et… Et délicieuse ! J'ai très envie que nous nous entendions, précisa-t-il d'une voix ferme. J'aime ta personnalité, figure-toi. Ta façon de te comporter directe et sans détours, ton franc-parler…

Elle tourna la tête vers lui, et il parvint à capter son regard. Il dut lire sur son visage une émotion qui le combla visiblement. Seigneur ! Il avait la preuve que, toute agressive qu'elle était et bien que sur la défensive, il avait tout de même le pouvoir de la toucher. C'était trop tard pour simuler l'indifférence.

— Peut-être au contraire sommes-nous faits pour nous entendre, ajouta-t-il sa voix grave en guettant sa réaction. Et plus encore…

Elle ne bougea pas, pétrifiée par l'émotion que provoquaient en elle ces paroles équivoques, l'accent rauque de sa voix mâle.

Puis, comme dans un ralenti au cinéma, elle vit Rick se pencher sur elle. De ses lèvres, il effleura les siennes. Eperdue d'émotion, elle ferma les yeux et entrouvrit la bouche pour mieux l'accueillir. Alors, comme par un coup de baguette magique, toute son angoisse se dissipa subitement : elle oublia Matthew et la promesse qu'elle s'était faite de rester vigilante pour s'abandonner aux sensations voluptueuses que faisaient naître en elle les lèvres de Rick.

Sa bouche pressait la sienne, sa langue la fouillait comme s'il

60

voulait en prendre possession. Elle aurait voulu que cet instant d'exception ne s'arrête jamais… Alors, l'évidence s'imposa à elle, incontournable et bouleversante : elle aimait cet homme, de toute son âme ! Elle n'avait pensé qu'à lui depuis cinq ans, et elle n'aimerait jamais que lui !

Comme pour célébrer leur baiser, les nuages se dissipèrent et le soleil apparut, radieux, les inondant de sa douce chaleur.

Ivre d'émotion, elle passa les mains autour du cou de Rick et se lova tout contre lui. Elle ne voulait pas penser à ce qui allait se passer ensuite : seul comptait le bonheur de se retrouver de nouveau dans ses bras, de respirer son odeur enivrante, de sentir son corps viril et musclé pressé contre le sien.

— Quand je pense que tu m'avais dit que je perdais mon temps à essayer d'arranger quelque chose entre Sapphie et Rick ! claironna tout à coup une voix masculine derrière eux.

Ils s'écartèrent brutalement l'un de l'autre et se retrouvèrent face à Dee et Jérôme.

Rouge pivoine, Sapphie aurait voulu pouvoir rentrer sous terre.

La situation semblait beaucoup amuser Jérôme qui les dévisageait d'un air réjoui, mais pour Dee, il en allait tout autrement. Ses yeux allaient de l'un à l'autre, comme si elle ne parvenait pas à croire ce qu'elle voyait, et elle avait du mal à cacher ses sentiments. Il était clair qu'elle considérait que Sapphie lui avait volé son chevalier servant, et on lisait sur son visage la jalousie et la colère.

Sapphie gardait les yeux baissés, incapable de croiser le regard de Rick. Car ce baiser ne changeait rien à la situation. Elle ne comptait pas pour Rick, elle ne compterait jamais… Il avait cédé à une simple pulsion sensuelle, et elle avait eu le tort de ne pas le repousser. Il fallait d'une façon ou d'une autre sortir de cette situation absurde dans laquelle elle n'aurait jamais dû le laisser l'entraîner.

— En fait, Rick et moi étions en train de nous dire au revoir, déclara-t-elle en maîtrisant avec peine le tremblement de sa voix. En effet, j'ai décidé de retourner à Londres dès aujourd'hui : je prendrai le même Eurostar que vous.

Elle avait avancé le premier argument qui lui passait par la tête, mais elle était assez contente de sa présence d'esprit. Fuir Rick était la seule solution, puisqu'elle semblait perdre tout sens commun en sa présence. Rentrer à Londres ou partir ailleurs, peu importait : l'essentiel était de quitter Paris s'il y était…

— Bonne idée, approuva Dee, soudain plus détendue. Matthew doit t'attendre avec impatience.

Sapphie crut que ses jambes se dérobaient sous elle. Elle savait sans vouloir se l'avouer que ce nom serait prononcé à un moment ou à un autre en présence de Rick, mais rien ne l'avait préparée à ce choc terrible.

Dee avait-elle délibérément évoqué le petit garçon pour la mettre mal à l'aise ? Pourtant, elle ignorait tout de l'identité du père de Matthew, que Sapphie avait toujours réussi à garder secrète. Ou sa sœur était douée d'une extraordinaire intuition, ou elle s'efforçait de dissuader Rick de s'intéresser à elle, songea Sapphie, au supplice.

Elle chercha désespérément quelque chose à dire pour faire diversion, mais sa nervosité était telle qu'elle fut moins réactive que d'habitude. Ce qui donna à Rick le temps de prendre la parole.

C'est avec horreur qu'elle le vit se tourner vers elle.

— Matthew ? répéta-t-il d'un ton interrogateur.

Dee s'avança d'un pas et le prit par le bras d'un geste possessif.

— Allons, Rick, ne sois pas trop curieux ! Nous avons bien

le droit d'avoir nos petits secrets, nous autres femmes ! fit-elle observer en lançant une œillade complice à Sapphie.

— Je ne vois pas pourquoi tu prends cet air de conspirateur, intervint alors Jérôme en jetant à sa femme un regard étonné. Matthew est…

Dee l'interrompit d'un air d'autorité.

— Ecoute, chéri, si Sapphie n'a pas jugé utile de parler de Matthew à Rick, ce n'est sûrement pas à nous de le faire, tu ne crois pas ? décréta-t-elle, péremptoire.

Elle secoua ses boucles blondes et croisa avec une lenteur étudiée ses interminables jambes au bronzage impeccable. Ne lui disait-on pas souvent qu'elle avait les plus beaux genoux d'Hollywood ? C'eut été dommage de ne pas les montrer…

Le regard de Rick allait de l'une à l'autre, et Sapphie pria intérieurement pour que Jérôme ne revienne pas à la charge. Il suffisait qu'il mentionne l'âge de Matthew pour que Rick comprenne immédiatement qu'il pouvait en être le père.

— Tu as raison, Dee, enchaîna-t-elle alors en affectant un ton dégagé. Nos petites histoires ne regardent que nous !

Elle ponctua sa remarque d'un éclat de rire, et Rick sembla enfin se détendre.

— Vous ne voulez pas reprendre un café avec nous ? suggéra alors Dee. A vrai dire, je meurs de faim !

A peine rassurée, Sapphie était en proie à une telle tension intérieure que la seule idée d'avaler une bouchée lui donnait la nausée. Elle n'avait qu'un souhait : se retrouver enfin seule, le plus loin possible de Rick. Aussi la perspective de quitter Paris dans quelques heures lui procurait-elle un véritable réconfort.

— Merci, Dee, mais je vais vous abandonner, répondit-elle. Je dois faire mes valises et confirmer mon billet sur l'Eurostar…

… Ce qui était un parfait mensonge, puisqu'elle n'avait bien sûr aucune place réservée.

— Oui, bien sûr, fit Dee, qui n'avait fort heureusement pas remarqué sa fébrilité. On se retrouve tout à l'heure, donc ?

— Oui. Je vous appellerai à votre hôtel, précisa Sapphie. Nous n'aurons qu'à prendre le même taxi.

— Alors nous serons quatre, intervint tout à coup Rick. Je pars à Londres, moi aussi. Et si vous n'y voyez pas d'inconvénient, je voyagerai avec vous.

— Super ! s'exclama Dee. Quelle bonne idée ! Ainsi, nous aurons tout le temps de bavarder !

Elle ponctua ses paroles d'un sourire radieux, à l'évidence ravie de récupérer son chevalier servant. Pareil à lui-même, Jérôme affichait quant à lui un flegme tout britannique, habitué qu'il était à l'exubérance de sa femme.

Sapphie, elle, avait blêmi.

Non seulement son stratagème avait échoué, mais elle allait être coincée avec Rick pendant plusieurs heures, sans échappatoire possible.

Car dans l'Eurostar, elle serait bien obligée de répondre à ses questions.

Cette journée qui avait déjà fort mal commencé promettait de finir encore plus mal...

Pourquoi diable avait-il tout à coup décidé de se rendre à Londres, alors que son projet initial était de regagner rapidement les USA ? se demandait Rick, perplexe. Pour suivre Dee, ou bien Sapphie ?

La réponse était claire. Même s'il avait du mal à l'admettre, la responsable ne pouvait être que Sapphie, bien qu'il ignorât ce qu'il attendait d'elle. Il y avait entre eux quelque chose d'inachevé, une promesse non tenue, une page non tournée. Et il avait terriblement envie de tourner cette page, même si ce devait être la dernière de leur brève histoire.

Il ne pouvait plus nier désormais l'attraction qu'elle exerçait sur lui. Il gardait gravé dans sa mémoire le souvenir de leurs étreintes. Parfois, lors de ses insomnies, il se remémorait la passion avec laquelle elle s'était donnée à lui, la douceur de sa peau, ses soupirs d'extase quand il l'avait faite sienne. Et son propre désir, aussi violent qu'insatiable…

Mais à l'époque, il était tellement entiché de Dee — car c'était le terme, il le comprenait à présent — qu'il avait stupidement laissé Sapphie disparaître de son existence sans même chercher à garder un contact avec elle.

Il réalisait à présent qu'elle avait été plus qu'une passade d'une nuit, et qu'il ne l'avait jamais vraiment oubliée. Découvrir qu'elle lui avait donné sa virginité le troublait infiniment, renforçant encore la conviction que ce qui s'était passé entre eux à l'époque avait un véritable sens.

Et voilà qu'il apprenait qu'elle avait un homme dans sa vie, un Matthew qui, à en juger par sa réaction tétanisée, devait représenter beaucoup pour elle ! A la seule mention de ce prénom masculin, il avait ressenti une bouffée de jalousie qui l'avait surpris lui-même. Comme s'il avait des droits sur Sapphie, comme si la seule et unique nuit qu'ils avaient partagée voilà cinq ans les avait liés à jamais !

C'était disproportionné par rapport à la réalité des faits, mais c'était ainsi. Il ne savait pas encore s'il avait envie de reconquérir Sapphie, mais il était bien décidé à ne pas la voir disparaître de son existence une deuxième fois.

D'où cette décision soudaine de partir pour Londres…

— Et toi, Rick, tu reprends un café avec nous ? demanda Dee avec un sourire enjôleur.

Elle le tenait toujours par le bras, mais il s'écarta d'elle d'un air décidé.

— Non merci, déclina-t-il poliment mais fermement. Je

65

suggère plutôt que Sapphie et moi vous retrouvions à votre hôtel vers midi. Ça vous va ?

Pendant quelques secondes, la mine de Dee se renfrogna puis, au prix d'un effort presque visible, elle fit contre mauvaise fortune bon cœur et afficha une gaieté qui ne trompait personne : elle était vexée que Rick ne lui montre pas plus d'empressement.

Encore une fois, Jérôme ne sembla pas prendre ombrage de la réaction de son épouse, et Rick pensa par-devers lui qu'à sa place, il n'aurait pas fait preuve de tant de mansuétude. Dee pouvait être impossible, avec ses caprices de diva et ses humeurs changeantes ! Comment pouvait-il la supporter ? Et comment lui, Rick, avait-il pu être attiré par cette femme certes ravissante, mais totalement imbue de sa personne ?

Il est vrai qu'à l'époque, il était tombé amoureux d'elle pratiquement sans la connaître, séduit par son image. D'ailleurs, ils ne s'étaient vus qu'une dizaine de fois avant qu'elle ne lui annonce son mariage avec Jérôme et qu'il s'imagine avoir le cœur brisé pour le reste de son existence…

S'il avait su à l'époque que, cinq ans plus tard, celle qu'il pensait être la femme de sa vie lui semblerait tout simplement exaspérante avec ses minauderies ! Ses mouvements de tête savamment étudiés pour faire virevolter ses boucles blond platine étaient ridicules. D'accord, elle était une star, mais elle en faisait vraiment trop !

— Allons nous restaurer, chérie, intervint alors Jérôme. La journée va être longue, et tu as à peine grignoté hier soir. Dans ton état, il faut manger !

« Dans ton état… » Cette expression ne pouvait vouloir dire qu'une chose, conclut Rick, stupéfait. Dee était enceinte !

Ce qui n'avait rien d'étonnant, après cinq ans de mariage, songea-t-il aussitôt après. Voilà qui expliquait peut-être à la fois ses sautes d'humeur et l'étonnante tolérance dont Jérôme faisait preuve à son égard.

— Oui, enchaîna Sapphie. Je sais bien qu'on ne dit plus qu'il faut manger pour deux, mais tu dois quand même te nourrir correctement, Dee.

— N'exagérons rien, protesta Dee. Je suis en tout début de grossesse, et ce n'est pas parce que j'attends un bébé que je ne vais pas faire attention à ma ligne. J'ai bien l'intention de retrouver ma silhouette immédiatement après l'accouchement.

Rick lui jeta un regard étonné. Il n'avait qu'une expérience limitée des femmes enceintes — à savoir Stazy, la femme de son frère —, mais il se souvenait parfaitement que pendant sa grossesse, cette dernière n'avait jamais exprimé le moindre souci quant à son propre poids. Son seul objectif était d'avoir un bébé en bonne santé, et elle se nourrissait en conséquence.

Mais Dee était tellement habituée à concentrer sur elle l'attention des journalistes et des médias que même pendant sa grossesse, sa ligne passait avant l'équilibre de son bébé.

— Je suis sûr que ce sera le cas, assura Jérôme en enlaçant tendrement sa femme. Et si besoin est, tu auras un professeur de gym à ta disposition pour t'aider à retrouver ton corps de rêve ! N'oublie pas que nous avons une salle de sport dernier cri à la maison, avec jacuzzi et sauna… C'est pour toi que je l'ai installée. Alors, un petit croissant, ça te dit ?

Dee acquiesça d'un sourire, apaisée. Par bonheur, Jérôme savait la gérer, songea Rick, admiratif. Il avait toujours le dernier mot, tout en étant suffisamment habile pour ne jamais lui voler la vedette.

— Tu as raison, mon amour, acquiesça-t-elle, allons manger. Je te suis…

Dès qu'ils se furent éloignés, Sapphie se tourna vers lui.

— Tu as l'air abasourdi ! Tu ne savais pas, pour Dee ? s'étonna-t-elle.

— Non, pas du tout. Jérôme doit être ravi ! Un premier bébé à plus de quarante ans, c'est une grande nouvelle !

— Oui, il est enchanté, confirma Sapphie.

— Et Dee ?

Sapphie lui jeta un coup d'œil incisif.

— Dee ? Tu n'as qu'à le lui demander ! rétorqua-t-elle d'un ton pincé. Vous êtes si intimes qu'elle te fera sûrement des confidences !

Elle regretta immédiatement ses paroles. Donner à Rick l'impression qu'elle était jalouse était stupide.

Stupide, et dangereux : il arbora tout à coup un air courroucé.

— Intimes ? Tu divagues ! J'ai rencontré Dee par le plus grand des hasards hier en sortant du Fouquets, mais je ne l'avais pas vue depuis son mariage !

— Excuse-moi, mais j'ai du mal à le croire ! rétorqua-t-elle spontanément avant de s'interrompre, furieuse contre elle-même de se donner ainsi en spectacle.

— Oublie ce que je viens de dire, murmura-t-elle. Peu m'importe de toute façon que tu voies Dee ou pas. Il n'en reste pas moins qu'elle est mariée, et enceinte. Deux bonnes raisons pour la laisser en paix, il me semble.

Elle s'arrêta soudain au milieu du trottoir.

— Je te quitte ici, asséna-t-elle brutalement. Je dois rentrer faire mes valises et confirmer mon billet. Tu m'excuseras, j'en suis sûre.

Sans attendre sa réponse, elle tourna les talons et prit la direction de son hôtel.

Perplexe, Rick observa sa silhouette au gracieux déhanchement jusqu'à ce qu'elle tourne au coin de la rue. Les rayons déjà vifs du soleil matinal faisaient étinceler ses cheveux aux reflets cuivrés, et il nota avec une indéniable jalousie que les hommes qu'elle croisait se retournaient sur son passage.

Pourquoi l'abandonnait-elle ? s'interrogea-t-il. Pourquoi

refusait-elle de lui consacrer quelques minutes de son précieux temps ? A cause de Matthew ?

Il l'ignorait.

Comment aurait-il pu savoir ce qu'elle pensait, alors que lui-même était incapable d'analyser ses propres sentiments ?

7.

Tout en marchant vers son hôtel, Sapphie ne cessait de s'adresser des remontrances.

Elle n'aurait pas dû entreprendre Rick sur ses sentiments pour Dee. Ni le laisser l'embrasser. Et surtout pas, en prime, répondre à son baiser !

Elle d'ordinaire si raisonnable, si maîtresse d'elle-même, elle ne parvenait pas à comprendre comment elle avait eu un comportement aussi irresponsable. Elle s'ingéniait à attirer l'attention de Rick, alors qu'elle aurait dû précisément faire l'inverse !

Pour couronner le tout, Dee les avait vus s'embrasser... Dorénavant, elle prendrait certainement un malin plaisir à la mettre mal à l'aise en présence de Rick, pour la punir de ce qu'elle devait considérer comme un crime de lèse-majesté ! Sapphie était prête à parier que Dee l'entreprendrait sur le sujet à la première occasion...

Elle ne s'était pas trompée.

Une fois à la gare, Jérôme et Rick s'éloignèrent pour prendre un café en attendant le train, et les deux sœurs se retrouvèrent en tête à tête. En effet, Dee ne perdit pas une seconde pour attaquer.

— Je me demande vraiment ce qui t'est passé par la tête, Sapphie ! commença-t-elle, un éclat de colère dans ses yeux verts.

Flirter avec Rick ! Mais c'est absurde ! Tu sais parfaitement qu'il est à moi !

Sapphie fit effort pour garder son calme et tenta désespérément de trouver des excuses à sa sœur. Dee avait toujours fait preuve d'un étonnant égocentrisme, et ni son père, qui l'adulait, ni sa mère ne l'avaient jamais raisonnée. Enfant, elle était la petite dernière, adorable avec ses boucles blondes et ses grands yeux verts. Plus tard, ses succès à Hollywood et son pouvoir d'attraction sur les hommes n'avaient fait qu'accentuer le phénomène : elle était tout simplement incapable de se mettre à la place des autres. Seul Jérôme, avec sa diplomatie et sa tendresse, arrivait parfois à lui ouvrir les yeux et à lui faire comprendre qu'elle n'était pas la seule au monde.

Mais là, c'était trop ! Parler d'une autre personne, quelle qu'elle soit, en termes de propriété, comme s'il s'agissait de n'importe quel bien, c'était infiniment choquant.

— Personne ne te dispute ton amitié avec Rick, fit observer Sapphie avec une retenue qui l'étonna elle-même.

Dee lui jeta un regard cinglant.

— Tu sais très bien qu'il s'agissait entre nous de beaucoup plus que d'amitié ! asséna-t-elle, péremptoire.

A l'entendre, la terre entière avait été informée des sentiments amoureux qui les liaient, se dit Sapphie avec cynisme.

— Parfait, fit-elle, décidée à ne pas faire rebondir un sujet aussi pénible.

— Parfait ? Tu veux rire ! explosa Dee. Je te surprends en train d'embrasser Rick, et tout ce que tu trouves à dire, c'est « parfait » ? Et en plus, comme par hasard, il modifie ses plans pour te suivre à Londres ? Et tu veux que, moi aussi, je trouve ça « parfait » ?

— Je ne veux rien du tout, Dee, répondit Sapphie sans perdre son calme. Je trouve simplement ta réaction hors de proportion. D'abord, le fait que Rick aille à Londres et non à New York n'a strictement rien à voir avec mon propre programme. Et ensuite, je t'ai déjà expliqué que tout à l'heure nous ne nous embrassions pas au sens où tu l'as entendu. Nous nous disions seulement au revoir. Pourquoi fais-tu ainsi des plans sur la comète ?

— Je ne fais pas des plans sur la comète, bougonna Dee. Mais c'est moi qui t'ai présenté Rick, alors je trouve vraiment que tu exagères !

Sapphie retint un sourire : parfois, Dee avait l'âge mental d'une pré-adolescente. Ce qui, dans un sens, l'excusait. Elle n'était ni perverse ni méchante, mais simplement terriblement immature. A vingt-cinq ans et bientôt maman, elle avait encore des réactions de petite fille, songea Sapphie en observant son air vexé. Si le sujet avait été moins grave, elle n'aurait pu s'empêcher d'en rire.

— Voyons, Dee, je sais bien que c'est grâce à toi que je connais Rick, et je sais aussi tout ce qui vous lie, ajouta-t-elle avec une déférence délibérée, dans l'espoir d'apaiser sa sœur et de clore le sujet.

Dee sembla enfin se détendre.

— Ah ! Quand même ! s'exclama-t-elle avec un petit soupir. Tu l'admets. Il n'est pas trop tôt !

— Je voulais aussi te dire combien j'ai apprécié que tu n'aies pas parlé à Rick de Matthew, ajouta-t-elle. Et je suis sûre que je peux compter sur toi pour que tu n'en parles jamais à l'avenir !

Elle guetta avec angoisse la réaction de sa sœur. Après un silence, Dee se tourna vers elle avec une moue mutine.

— Là, tu t'avances un peu ! rétorqua-t-elle. Je ne peux rien t'assurer. Mais c'est vrai que tout à l'heure, j'ai pensé que tu n'avais peut-être pas envie de passer pour la pauvre mère célibataire…

— Pauvre mère célibataire ? Je n'ai pas à me plaindre de mon sort, au contraire ! J'ai un petit garçon adorable, je gagne

72

bien ma vie, mon livre se vend comme des petits pains, et j'ai plein d'amis ! Non seulement je n'ai pas l'impression d'être à plaindre, mais pour l'instant je n'ai aucun besoin d'un homme, rassure-toi !

D'un homme, non… De Rick, oui, ajouta-t-elle en son for intérieur. Mais Dee était la dernière personne à laquelle elle se confierait sur le sujet.

Quoi qu'il en soit, dès leur arrivée à Londres, leurs chemins à elle et Rick se sépareraient de nouveau, elle espérait pour toujours.

Dans le wagon de première, on leur avait réservé un carré, et Jérôme insista pour que Rick et Sapphie s'installent côte à côte. Il tenait à ce que Dee puisse poser la tête sur son épaule pour dormir.

En effet, à peine avaient-ils quitté la capitale que la jeune femme s'assoupit. Sapphie se souvint non sans émotion qu'elle aussi s'endormait facilement durant les premiers mois de sa grossesse. Mais elle n'avait pas l'épaule accueillante du père de son bébé à sa disposition…

Quelques minutes plus tard, Jérôme lui aussi ferma les paupières.

Assise à la fenêtre, Sapphie fit mine de se plonger dans la contemplation du paysage — des prés et des bois dénués de tout intérêt — pour signifier clairement à Rick qu'elle n'avait pas l'intention de lui faire la conversation.

Sans succès…

— Quel travail de recherche t'amenait à Paris ? demanda-t-il en effet après quelques minutes, rompant tout à coup le silence.

Sapphie sursauta.

— Pardon ? dit-elle.

Rick tourna la tête vers elle en souriant. Pour voyager, il avait troqué son costume pour un simple jean qui sur lui devenait tout de suite le comble de l'élégance, une veste en lin grège et une chemise dont le blanc immaculé rehaussait par contraste le brun soutenu de ses cheveux et l'azur de ses yeux.

Pourquoi était-il si séduisant ? songea-t-elle avec un pincement au cœur. Pourquoi le simple fait de le regarder la bouleversait-il ainsi ? Comment, dans ces conditions, tiendrait-elle trois heures à ses côtés ? Pourvu que Jérôme et Dee ne dorment pas pendant tout le trajet !

— Oui, tu as dit hier que tu étais venue à Paris pour faire des recherches, il me semble, reprit-il en cherchant son regard.

Hier ? Les événements s'étaient précipités à une telle vitesse dans sa tête et dans son cœur depuis qu'elle avait revu Rick qu'elle avait du mal à croire que vingt-quatre heures seulement s'étaient écoulées.

Elle se tortilla nerveusement sur son siège.

— C'est vrai, confirma-t-elle en affichant un ton dégagé. Quand j'ai déménagé à Londres, je…

— Tu habites Londres de nouveau ? s'exclama-t-il, étonné. Tu n'es plus l'assistante de Jérôme ?

— Non. Je trouvais que travailler pour le mari de Dee n'était pas une très bonne idée, expliqua-t-elle, volontairement évasive.

— Je vois, fit Rick. Alors si je comprends bien, en quittant Jérôme, tu as perdu à la fois ton petit ami et ton emploi ?

Il lui jeta un regard provocateur qu'elle ne releva pas.

— C'est la meilleure décision que j'aie jamais prise, fit-elle observer du même ton posé. Indépendamment de Jérôme, avec lequel j'ai gardé comme tu peux le constater d'excellents rapports. Je me suis lancée comme journaliste free-lance en exploitant ma connaissance du milieu du cinéma et des vedettes d'Hollywood. Les débuts ont été un peu poussifs, et puis de fil en aiguille les magazines m'ont demandé de plus en plus d'articles.

— Tu n'en as pas assez des potins de stars ? s'étonna Rick. La nouvelle robe d'une telle et les affaires de cœur d'une autre, ça doit être lassant… Et pour travailler moi-même dans ce milieu, je sais de quoi je parle ! ajouta-t-il avec un soupir désabusé.

Elle lui sourit. C'est exactement ce qu'elle avait ressenti au bout de quelques mois.

— Tu as raison. Au bout d'un moment, je me suis fatiguée moi aussi de cet exercice, même si j'avoue qu'au début j'étais assez fière de signer ces articles. Le temps passant, j'ai pris goût à l'écriture, et j'ai décidé de viser plus haut.

— Plus haut ?

— Oui, d'écrire un roman. Un vrai. Inutile de te dire que j'ai eu souvent l'angoisse de la feuille blanche, mais je me suis accrochée. Et mes contacts m'ont permis de trouver un éditeur. Pour répondre à ta première question, je suis en train de préparer mon deuxième roman, et c'était la raison de ma présence à Paris, conclut-elle.

Rick resta un moment silencieux.

— Alors comme ça, tu es devenue écrivain, fit-il observer. Et puisque tu débutes un autre roman, c'est que le premier a bien marché, j'imagine.

Il réfléchit un instant, puis se tourna vers elle d'un air stupéfait.

— Mais dis-moi, j'y pense tout à coup ! Ton roman, ce ne serait-ce pas *Nuit froide*, le nouveau thriller dont tout le monde parle et dont l'auteur est S.P. Benedict ?

Sapphie acquiesça, amusée.

— Bingo ! dit-elle. Tu as deviné juste ! S.P. Benedict pour Sapphire Pearl Benedict, mais je me suis dit que ça faisait un peu prétentieux, alors je n'ai gardé que les initiales…

— Je n'en reviens pas, murmura Rick en la dévisageant avec des yeux ronds.

— Calme-toi, Rick, je n'ai pas encore le prix Nobel, je te rassure !

— Peut-être pas, mais j'ai lu ton roman, et il est excellent. Mon frère Nick l'a adoré et me l'a offert, et je dois dire que j'ai été soufflé. Ce suspense ! C'est d'une efficacité ! Comment as-tu fait ?

Dans l'excitation, il avait élevé la voix, et Dee remua dans son sommeil.

— Si on changeait de place ? chuchota alors Rick. Il y a des sièges libres à côté, on sera plus tranquilles pour bavarder, et on ne risquera pas de les réveiller. Viens, suis moi !

A vrai dire, il ne lui laissait pas vraiment le choix.

Sapphie obtempéra donc, sans enthousiasme. Leur conversation devenait bien trop personnelle à son gré, et elle craignait de se couper au sujet de Matthew. Rick devait absolument continuer à croire qu'il s'agissait de son petit ami...

Ils s'installèrent de part et d'autre de la tablette dans le carré le plus proche, et elle songea qu'à tout prendre elle préférait avoir Rick en face d'elle qu'à côté. Ainsi, elle risquait moins de le toucher par mégarde. A deux reprises, elle avait effleuré son genou au début du voyage, et ce simple contact l'avait bouleversée.

— Donc, tu écris toi aussi, reprit-il en la dévisageant avec attention. Nous avons au moins ce point en commun... Et peut-être beaucoup d'autres que nous ignorons encore ! ajouta-t-il en lui lançant un clin d'œil complice.

Elle toussota nerveusement. Pas question de se laisser entraîner sur ce genre de terrain ! Elle devait à tout prix maintenir entre eux le plus de distance possible, malgré les circonstances qui semblaient s'ingénier à les rapprocher.

— Non, pas du tout ! protesta-t-elle. Je suis sûre qu'écrire un scénario pour le cinéma et un roman policier sont deux exercices très différents. Et puis tu es un auteur connu, alors que j'attaque très modestement un deuxième livre qui n'aura peut-être pas du tout le succès du premier !

— Je suis connu aujourd'hui, et peut-être pas demain, corrigea-t-il. Rien n'est plus éphémère que la notoriété dans le monde du cinéma, tu le sais sûrement aussi bien que moi !

— Mais chacun des films auxquels tu as participé a été plébiscité par le public ! protesta-t-elle. Je sais par Jérôme que tu es sollicité par les plus grands metteurs en scène, en plus bien sûr de ton frère Nick !

— Peut-être, mais j'ai vu trop de vedettes croire que c'était arrivé et retomber ensuite dans l'oubli pour ne pas me méfier, fit observer Rick. Pour l'instant, les choses marchent bien, je suis ravi d'écrire pour les plus grands, de collaborer avec mes frères, mais je garde la tête froide. Si on veut survivre dans ce milieu, il faut prendre du recul.

Le moins qu'on puisse dire était que le succès ne lui était pas monté à la tête, songea Sapphie. Si l'engouement du public se confirmait pour son deuxième livre, elle se souviendrait de ses paroles et tâcherait de suivre son exemple.

— Je suis sûr que tu comprends ce que je veux dire, ajouta-t-il. Tu as côtoyé les stars de trop près pour ne pas avoir été frappée par leur ego surdimensionné.

— En effet, approuva-t-elle. C'est une des raisons pour lesquelles j'ai souhaité prendre mes distances par rapport à Hollywood. Et toi, tu étais aussi à Paris pour travailler, n'est-ce pas ?

— Oui, j'avais des rendez-vous. Je suis en train d'adapter un roman pour l'écran : *Un garçon ordinaire*, tu l'as peut-être lu. Ma belle-sœur Jonx Nixon, la femme de Nick, est la cousine de l'auteur. C'est en quelque sorte une affaire de famille…

— Nick ! Oui, j'ai vu dans un magazine pour lequel j'écrivais autrefois qu'il s'était marié récemment. Sur la photo, ils avaient l'air rayonnants tous les deux…

— Ils le sont, confirma Rick. Je n'aurais jamais cru que mon frère, célibataire endurci et redoutable don Juan qu'il était, puisse devenir le mari parfait qu'il est aujourd'hui ! Mais c'est arrivé, et il est transformé. Quand on voit Nick et Jonx ensemble, on se demande comment ils ont pu vivre l'un sans l'autre...

Il eut un sourire attendri qui la bouleversa. Lui aussi cherchait sûrement la femme de sa vie, sans peut-être se l'avouer encore, songea-t-elle avec une douloureuse amertume. Celle qu'il épouserait, qui lui donnerait des enfants qui porteraient son nom...

Elle chassa brusquement cette pénible pensée de son esprit. Passée, présente ou future, la vie de Rick ne la regardait pas. Ce moment d'intimité entre eux dans ce train qui filait vers Londres n'était qu'une parenthèse.

— J'ai rencontré ton frère il y a quelques années quand je travaillais pour Jérôme, dit-elle. Il était extrêmement séduisant.

Rick fronça les sourcils.

— Ne me dis pas que tu es tombée amoureuse de lui comme tant d'autres ! s'écria-t-il, contrarié.

Elle ne put s'empêcher de sourire de cet accès de jalousie fraternelle.

— Pas du tout ! J'ai simplement beaucoup admiré la façon dont il travaillait, précisa-t-elle. C'est à la fois un vrai professionnel, très exigeant, et en même temps un créateur plein de talent.

— C'est vrai. Et en plus, un mari aux petits soins pour son épouse ! La perle rare, en somme...

— Si c'est vrai, Jonx a de la chance ! Mais ce doit être difficile de vivre avec un homme doué d'une telle personnalité ! J'aurais peur qu'il me fasse de l'ombre, qu'il m'empêche d'exister, ajouta-t-elle pour elle-même.

En tant que femme, en tant que mère, elle avait toujours revendiqué son indépendance. Mais bien sûr, songea-t-elle alors avec un serrement au cœur, elle n'avait jamais eu à composer avec un homme, puisqu'elle n'avait jamais vécu en couple.

— Jonx n'est pas du genre effacé, précisa Rick. Et je lui fais confiance pour faire entendre son point de vue si nécessaire. Par exemple, Nick a accepté de transférer sa maison de production de Los Angeles en Grande-Bretagne parce que sa femme travaille à Londres et qu'elle est anglaise. Jamais je n'aurais cru qu'il abandonnerait Hollywood, où il avait une superbe maison. Et pourtant…

Le miracle de l'amour…, ajouta-t-il mentalement. Il s'imaginait mal un jour dans la même situation, mais il n'avait pas tout à fait renoncé. Cependant, jusqu'à présent il n'avait pas fait preuve de beaucoup de clairvoyance, particulièrement en s'entichant de Dee ! Non seulement elle en avait épousé un autre, mais il se rendait compte qu'il avait poursuivi une chimère pendant cinq ans ! A ce rythme-là, il finirait vieux garçon et sans descendance…

— Tu n'as pas à justifier ton frère, déclara Sapphie. Je le connais à peine, et en plus je suis sûre que je ne le reverrai jamais de ma vie !

— Pourquoi une telle affirmation ? s'étonna-t-il.

— Parce que des gens comme toi et tes frères ne font pas partie de mon existence, asséna-t-elle.

La réponse était si péremptoire, si définitive, que Rick resta un moment silencieux, choqué. Pourquoi Sapphie le rejetait-elle ainsi de manière aussi drastique ? En quoi avait-il mérité une telle défiance ? A cause de ces quelques heures qu'ils avaient passées ensemble voilà cinq ans ? Il ne l'avait pourtant pas forcée, loin de là même, se dit-il en se remémorant l'ardeur avec laquelle elle avait répondu à ses baisers, à ses caresses. Le même désir les avait enflammés tous les deux, les entraînant jusqu'au bout de la nuit…

Il chassa de son esprit les images ô combien précises qui affluaient à sa mémoire. La bouche de Sapphie gonflée par leurs baisers, ses seins lourds dont il ne se lassait pas de mordiller les mamelons durcis, le mouvement lascif de ses hanches pendant l'amour…

— Excuse-moi, Sapphie, mais que tu le veuilles ou non, au moment où nous nous parlons, je fais partie de ta vie, assénat-il d'une voix tendue.

Elle se figea, sur la défensive.

— Peut-être, mais dès que nous serons arrivés à Londres nos chemins se sépareront de nouveau, et n'auront plus aucune raison de se croiser, affirma-t-elle d'un ton sec.

Cette fois, il ne put cacher sa mauvaise humeur. Il avait vraiment la sensation déplaisante qu'elle n'attendait qu'une chose : se débarrasser de lui.

— Vraiment ? rétorqua-t-il, narquois. Tu es bien sûre de toi, ma chère ! Et tu te trompes, car j'ai l'intention de t'inviter à dîner. Pas plus tard que ce soir.

— Ce soir ! Mais c'est absurde ! balbutia-t-elle, en plein désarroi. Tu n'as aucune raison de m'inviter à dîner ! Ni ce soir ni jamais !

Sous le coup de l'émotion, sa voix s'était mise à trembler, et il la dévisagea avec surprise.

— Ecoute, Sapphie, garde ton calme, murmura-t-il d'une voix posée. Pourquoi te mets-tu dans tous tes états ? Je sais que je me suis mal comporté il y a cinq ans, mais…

— Je n'ai pas la moindre envie de parler de ça ! bredouillat-elle, affolée. D'ailleurs, Dee et Jérôme pourraient se réveiller, et…

— Ils dorment à poings fermés, coupa Rick sèchement. Et je ne vois pas pourquoi nous ne pourrions pas évoquer le sujet !

Parlons-en au contraire, une bonne fois pour toutes, et mettons les choses au point !

— Il n'y a *rien* à mettre au point. C'était purement sexuel, voilà tout !

Il l'observa, moins choqué par ses paroles que par le ton sans appel qu'elle avait employé.

— Je ne le crois pas, s'insurgea-t-il avec calme. En tout cas je n'ai jamais pensé en ces termes à la nuit que nous avons passée ensemble.

Sapphie haussa les épaules d'un air désabusé destiné à dissimuler son désarroi.

A aucun prix Rick ne devait deviner à quel point cette conversation lui était pénible. Ni surtout soupçonner que leur relation avait engendré un enfant...

— Je t'en prie, Rick, ne sors pas les violons ! asséna-t-elle. Le sexe pour le sexe, ça existe, non ? Et il n'y a rien de mal à ça ! Je suis sûr que ça t'arrive aussi de temps en temps...

Comment avait-elle la force d'afficher un tel cynisme ? se demanda-t-elle avec une stupéfaction glacée. Si seulement Rick savait qu'après lui, il n'y avait eu personne !

Entre eux, le silence se prolongea, de plus en plus pénible. Ce fut Rick qui le rompit.

— Tu te trompes, Sapphie, rétorqua-t-il d'une voix sourde. Je ne suis pas un consommateur de femmes, comme tu as l'air de le penser. Tu n'as qu'à demander à ceux qui me connaissent, mes frères par exemple, ils te diront que...

— Je n'ai aucunement l'intention de discuter de ta vie sexuelle, ni avec tes frères, ni avec personne ! coupa-t-elle d'un ton cassant. Pourquoi ne comprends-tu pas que j'ai envie d'oublier ce qui s'est passé cette nuit-là, tout simplement ? Et que ce serait beaucoup mieux que tu en fasses de même ?

Rick lui lança un regard incrédule.

— je comprends de moins en moins ta dureté. J'ai seulement envie de te connaître un peu, fit-il observer presque timidement.

— Eh bien, moi pas ! asséna-t-elle pour enfoncer le clou. En tout cas, pas si tu continues à me bassiner avec cette histoire !

Elle avait délibérément levé le ton dans l'intention de réveiller Dee et constata avec soulagement que son stratagème avait fonctionné : sa sœur ouvrait les yeux.

Ouf ! Elle était sauvée pour le reste du voyage. Et quand ils arriveraient à Londres, elle prendrait la poudre d'escampette le plus rapidement possible, en croisant les doigts pour que le hasard ne la remette jamais en présence de Rick Prince.

Rick ne laissa rien paraître de son agacement à voir une fois de plus la situation lui échapper.

En réalité, il était plongé dans ses pensées, de plus en plus intrigué par Sapphie.

Après avoir longtemps poursuivi un fantasme en s'imaginant être amoureux de Dee, il réalisait maintenant avec un profond désarroi que son aventure éclair avec Sapphie l'avait marqué beaucoup plus qu'il ne l'avait soupçonné. Son désir de la connaître était encore avivé par cette façon incompréhensible qu'elle avait de le repousser, de refuser de répondre à ses questions, de lui révéler quoi que ce soit de sa vie personnelle.

Y compris et surtout à propos de ce Matthew, dont elle n'avait jamais prononcé le nom devant lui ! Sans l'indiscrétion de Dee, il n'aurait même pas su qu'il y avait un homme dans sa vie…

Mais Saphhie ne perdait rien pour attendre, car il n'était pas du genre à renoncer. Jamais aucune femme ne lui avait ainsi tenu tête, et il finirait par en avoir le cœur net. Un jour prochain, il l'espérait, il saurait qui elle était réellement. Il parviendrait à communiquer avec elle, il percerait le mystère qu'elle entretenait si savamment autour d'elle. Et peut-être même supplanterait-il son Matthew, si l'envie le prenait d'aller plus loin… Car elle était décidément séduisante, tant intellectuellement que physiquement !

Mais le moment n'était pas encore venu, songea-t-il. Elle était trop sur la défensive.

Il se désintéressa donc d'elle ostensiblement.

Reprenant sa place, il entama une longue discussion avec Jérôme sur l'écriture de son dernier scénario, et Dee se joignit bientôt à leur conversation. Seule Sapphie restait silencieuse, absorbée dans la contemplation du paysage qui défilait. Elle ne prononça que quelques mots jusqu'à leur arrivée à Londres, se bornant à répondre aux rares questions qu'on lui posait.

Devant la gare de Waterloo, une longue file de taxis attendait. Quelques passants reconnurent Dee et provoquèrent un début d'attroupement. Ravie, celle-ci les gratifia de son légendaire sourire de star et se plia avec grâce au rituel des autographes, sous l'œil blasé de son mari qui avait dû vivre cent fois la scène.

— Mon chauffeur est là, annonça-t-il en se tournant vers Rick et Sapphie. J'en profite pour vous ramener ?

— Non, ne te dérange pas. Dee a l'air fatigué et doit avoir hâte de rentrer. Sapphie et moi prendrons un taxi, rétorqua Rick le plus naturellement du monde.

Sur ces paroles, il prit d'autorité le bras de la jeune femme.

— Bon, très bien, lança Dee en suivant Jérôme vers la Mercedes rutilante qui les attendait. Dans ce cas, je te vois ce soir chez maman, Sapphie.

A peine s'étaient-ils éloignés, suivis par un groupe de fans qui grossissait à vue d'œil, que Sapphie se tourna vers Rick.

— Je n'ai pas la moindre intention de partager un taxi avec toi, déclara-t-elle d'un ton aussi distant que déterminé.

Il aurait dû se douter qu'elle ferait tout pour ne pas lui révéler son adresse, songea Rick. Peut-être vivait-elle sous le même toit que son fameux Matthew…

— Ta réaction ne me surprend guère, fit-il observer d'un air désabusé. Tant pis. Je voulais juste t'épargner les assauts des fans de Dee.

Il jeta un œil à la jeune actrice qui s'installait dans la Mercedes, entourée d'une nuée d'admirateurs brandissant leurs téléphones portables pour la prendre en photo. Dee rayonnait. Une fois dans la voiture, elle ouvrit grand la vitre et se pencha, sourire aux lèvres, agitant la main d'un geste quasi royal. Jérôme attendait placidement, et Rick ne put s'empêcher de penser qu'en tant qu'agent artistique de sa femme, il avait tout intérêt à favoriser ce genre de bain de foule. Car évidemment, à la clé, il y aurait un article qui relaterait la scène par le menu, en détaillant jusqu'au dernier bouton la tenue de Dee. Ce qui ne pouvait pas faire de mal à sa notoriété…

— Alors au revoir, dit brusquement Sapphie, le tirant de ses pensées. Et merci quand même d'avoir voulu m'éviter un bain de foule, ajouta-t-elle avec un sourire gauche.

— Tu me remercies ? s'écria Rick, étonné, en prenant la main qu'elle lui tendait. Un vrai miracle…

Sapphie sourit de nouveau, et une étincelle dorée s'alluma dans ses yeux couleur ambre. Quand elle reprit la parole, sa voix s'était radoucie.

— N'est-ce pas ? fit-elle, amusée. Tu vois, je ne suis pas si désagréable que j'en ai l'air… A bientôt peut-être, ajouta-t-elle comme malgré elle.

Mais au lieu de lui serrer la main comme elle s'y attendait, il l'attira doucement à lui.

— C'est comme ça que tu me dis au revoir ? murmura-t-il d'une voix sourde.

D'un geste possessif, il l'enlaça par la taille et la serra contre son torse. L'espace d'un instant, il perçut le frémissement de

84

la jeune femme. Quand il lui effleura les lèvres, il la sentit palpiter contre lui. Envahi par une irrépressible vague de désir, il accentua la pression de ses lèvres contre les siennes et crut qu'elle allait enfin s'abandonner...

Mais cet instant d'égarement ne dura pas : Sapphie s'écarta brusquement de lui. Quand elle le dévisagea, son visage avait retrouvé une expression si dure qu'il crut avoir rêvé ces quelques secondes où il l'avait tenue dans ses bras, fragile et presque consentante, infiniment troublante.

— Oui, c'est comme ça, asséna-t-elle d'une voix brève. Et tant pis si ça ne te suffit pas !

Joignant le geste à la parole, elle saisit son sac de voyage et tourna les talons sans plus faire attention à lui.

Elle était plus qu'imprévisible, songea-t-il avec un soupir en la regardant s'éloigner. Pas une fois elle ne se retourna. Comme si, de nouveau, elle l'avait rayé de son existence...

Mais il se ressaisit bien vite. Cette fois-ci, il ne laisserait pas cinq années s'écouler sans la revoir ! décida-t-il en hélant un taxi.

Après avoir donné au chauffeur l'adresse de son frère Nick, il s'installa confortablement sur la banquette arrière, et un sourire se dessina sur ses lèvres : il était déjà en train d'élaborer un plan pour revoir Sapphie.

Le plus vite possible. Car entre eux, les choses étaient restées en suspens depuis le mariage de Dee. Et il avait toujours détesté les situations indéterminées...

8.

— Honnêtement, maman, je me demande ce qu'on fabrique ici ! murmura Sapphie.

Tout en parlant, elle jeta un regard agacé à la foule élégante et branchée qui l'entourait. Top models, journalistes, personnalités du show business se pressaient dans les salons du plus grand hôtel de Londres autour d'un somptueux buffet.

Joan McCall lui sourit affectueusement. A plus de cinquante ans, sa mère avait gardé une silhouette flatteuse, un peu arrondie par les années mais toujours élégante. Dans sa robe décolletée qui mettait en valeur sa poitrine voluptueuse, avec ses cheveux dont la teinte auburn ne trahissait que discrètement l'intervention d'un coiffeur, elle faisait honneur à ses filles par sa beauté et son charme.

— Quel rabat-joie tu fais, ma chérie ! Moi, je ne boude pas mon plaisir, bien au contraire ! s'écria-t-elle avec le dynamisme qui la caractérisait. C'est tellement amusant de voir toutes ces têtes connues, de faire partie des *happy few* pour quelques heures ! Toi, ça t'arrive peut-être souvent, mais moi pas ! Et n'oublie pas que c'est la première fois que Dee nous invite au lancement d'un de ses films…Quand je pense que si je n'avais pas insisté, tu ne serais pas là ce soir !

Et pour cause…

Pendant la semaine qui s'était écoulée depuis leur retour de

Paris, Sapphie avait passé son temps à craindre une rencontre fortuite avec Rick.

Quand, deux jours auparavant, Jérôme l'avait appelée pour l'inviter à la première du film de Dee en présence du Tout-Londres, elle avait hésité.

A la fois parce qu'elle n'était pas attirée par ce genre d'événements médiatiques, mais aussi et surtout parce que Rick avait peut-être été convié lui aussi. Elle avait failli refuser, mais sa mère l'avait tellement pressée de l'accompagner, prétextant qu'elle ne connaîtrait personne, qu'elle s'était finalement laissée convaincre. D'autant qu'après vérification, elle avait constaté avec soulagement qu'aucun des frères Prince n'était lié de près ou de loin au film dont sa sœur était la vedette : il n'y avait donc aucune raison pour qu'ils soient présents.

Toujours est-il que pour le moment, il n'y avait pas de Rick à l'horizon… Si par malheur il apparaissait, il y avait tellement de monde qu'elle pourrait facilement s'éclipser, se dit-elle pour se rassurer.

Elle avala une gorgée de champagne — millésimé, bien sûr — et se pencha vers sa mère.

— En ce qui me concerne, lui glissa-t-elle à l'oreille d'un ton désabusé, je serais bien mieux à la maison, tranquille avec Matthew…

Quand elle l'avait quitté une heure auparavant, le laissant sous la garde de sa baby-sitter préférée, le petit garçon en pyjama rayonnait de voir sa mère dans ce qu'il appelait « sa nouvelle robe de princesse ». Avec une gravité admirative, il l'avait observée dans les moindres détails avant de lui affirmer qu'elle serait la plus belle de la soirée.

Il faut dire qu'elle n'avait pas lésiné sur les dépenses. Au départ, elle comptait porter la sempiternelle petite robe noire qu'elle sortait à chaque cocktail mondain. Mais c'était sans compter sur sa mère : Joan était intervenue manu militari.

— Pas question, ma chérie ! avait-elle décrété d'un ton sans appel. Tu es un auteur connu à présent, tu peux bien investir dans une tenue un peu plus chic que cette robe que je t'ai vue porter dix fois ! Tu es ravissante, toi aussi, alors pourquoi ne pas te mettre en valeur ?

Contrecarrer sa mère était une entreprise au-dessus des forces de Sapphie. Quand Joan McCall avait une idée dans le crâne, personne ne pouvait lui faire changer d'avis. Aussi avait-elle accepté de la suivre dans les boutiques chic de Bond Street. Leur choix — par chance, elles avaient tout de suite été d'accord — s'était porté sur une robe de soie sauvage de style chinois, dont la coupe près du corps mettait en valeur ses courbes. Des escarpins dorés complétaient sa tenue, et un chignon haut placé lui dégageait la nuque, attirant, prétendait sa mère, le regard sur son magnifique port de tête.

— A la maison avec Matthew ? enchaîna Joan. Ce serait dommage. D'abord il est certainement déjà endormi, et en plus tu n'as pas l'âge de te coucher comme les poules ! Et puis ce spectacle est fascinant ! Regarde toutes ces belles tenues, ces stars, ces femmes magnifiques ! Sans parler des hommes, ajouta-t-elle avec un petit sourire entendu. Si j'étais toi, j'essaierais de trouver chaussure à mon pied. Il y a l'embarras du choix !

Sapphie ne s'offusqua pas. Sa mère, qui ignorait elle aussi tout du père de Matthew, voulait absolument lui trouver un mari, et elle la laissait parler.

— En tout cas je ne vais pas faire de vieux os, murmura-t-elle en confiant sa coupe vide à un serveur qui déambulait entre les groupes. C'est amusant cinq minutes, mais pas plus…

— Tu ne pourras pas t'échapper avant la séance photos. Car je présume que les journalistes vont vouloir prendre Dee avec sa mère et sa sœur, tu ne penses pas ?

Sapphie n'en savait rien, mais elle songea qu'en effet de tels clichés devaient faire partie de la stratégie marketing de Jérôme.

Quoi de plus attendrissant que de présenter une star avec sa maman chérie et sa sœur, écrivain plein d'avenir ?

D'autant que la grossesse de Dee avait été annoncée quelques jours auparavant, à grand renfort de photos et de confidences attendries, et que la famille prenait donc une importance nouvelle.

A cet instant, à observer Dee, plus ravissante que jamais dans une robe bustier à la taille marquée, dont la soie émeraude rappelait la couleur de ses yeux, personne n'aurait pu se douter qu'elle était enceinte de trois mois.

— Détrompe-toi, maman, je n'attendrai pas jusque-là, déclara Sapphie qui commençait décidément à trouver le temps long. Je reste encore dix minutes, histoire d'être polie, et je prends la poudre d'escampette. Ma présence n'est nullement indispensable !

— Bien sûr que si, mademoiselle Benedict ! lança tout à coup derrière elle une voix mâle au fort accent américain.

Sapphie se retourna brusquement.

— Nous nous sommes rencontrés il y a quelques années à New York, il me semble, reprit l'homme qui la dévisageait d'un air amusé. Vous ne me reconnaissez pas ?

Interloquée, Sapphie resta muette. Comment n'aurait-elle pas reconnu Nick Prince, le frère de Rick ? Ils avaient la même stature athlétique, les mêmes boucles brunes, le même sourire sensuel.

— Et voici ma femme, ajouta-t-il en s'effaçant devant une grande femme élégante qui adressa un sourire amical à Sapphie.

Bien sûr, c'était Jonx, sa toute nouvelle épouse, dont elle avait vu récemment les photos dans un magazine.

— Oui, oui, je vous reconnais, vous êtes Nick Prince, balbutia-t-elle. Bonjour. Je vous présente ma mère, Joan McCall. Maman, voici Nick et Jonx Prince.

Très gentleman, Nick se pencha vers Joan et lui fit le baise-main.

— Quand on vous voit, madame, on comprend pourquoi vos deux filles sont si belles, fit-il observer avec un sourire charmeur. Mais permettez-moi de vous dire qu'on a du mal à imaginer que vous serez bientôt grand-mère, tant on vous prendrait facilement pour la sœur aînée de Dee !

Joan sourit, ravie de ce compliment appuyé de la part d'un homme aussi séduisant que Nick.

— En fait, je suis déjà…

— Monsieur Prince est un metteur en scène très en vue, maman, coupa Sapphie de crainte qu'elle ne lui explique qu'elle avait déjà un petit-fils.

— Appelez-moi Nick, je vous en prie, s'exclama Nick avec chaleur. Nick et Jonx ! Ainsi, vous vouliez prendre la poudre d'escampette, Sapphie ?

Sapphie sourit.

— Je ne suis pas une grande adepte de ces soirées mondaines, avoua-t-elle.

— Comme je vous comprends ! enchaîna Jonx avec une œillade complice. Je suis exactement comme vous ! D'ailleurs, nous nous éclipserons nous aussi bientôt. En fait, dès que Rick sera arrivé. Je me demande bien ce qu'il fait… Quand il sera enfin là, nous pourrions aller boire un verre tranquillement au bar de l'hôtel, loin de la foule ? suggéra-t-elle aimablement.

Le sourire de Sapphie se figea sur ses lèvres, tandis qu'elle jetait un regard angoissé autour d'elle.

Elle n'avait qu'une crainte : que Rick apparaisse avant qu'elle ait pris congé sous un prétexte ou un autre ! Elle commençait d'ailleurs à se dire que le fait qu'ils aient été invités tous les deux à cette soirée n'était peut-être pas dû au seul hasard. Mais si ses soupçons étaient exacts, qui s'était arrangé pour les réunir ? Jérôme, ou Rick lui-même ?

Si c'était Rick, il ne manquait pas de toupet ! Elle lui avait pourtant clairement signifié qu'elle ne souhaitait pas le revoir ! Pourtant, elle se doutait qu'il ne lui obéirait pas : pendant la semaine qui venait de s'écouler, pas un jour ne s'était passé sans qu'elle se dise qu'il allait chercher à la revoir, que d'une manière ou d'une autre il s'arrangerait pour la croiser de nouveau.

— Non non, merci, balbutia-t-elle, au supplice. Il faut que je sois rentrée à minuit.

— Pourquoi ? Sinon tu te changes en citrouille ? rétorqua une voix mâle qu'elle aurait reconnue entre toutes.

C'était bien Rick en effet, surgi de nulle part comme s'il avait deviné qu'il devait arriver par surprise pour ne pas la laisser fuir.

Le cœur battant, elle le dévisagea, incapable de détacher ses yeux de sa longue silhouette. Dans son smoking impeccablement coupé, avec ses yeux au bleu profond et ses traits nobles, il dégageait une aura de virilité raffinée qui coupait le souffle.

Il s'approcha d'elle et lui déposa sur les joues un baiser furtif, distillant le parfum discrètement sensuel de son eau de toilette épicée.

— Ravi de te revoir, murmura-t-il de sa voix grave.

Elle se sentit rougir. Tous les regards étaient tournés vers elle, et elle comprit qu'il était grand temps de dire quelque chose.

— Moi aussi, affirma-t-elle d'une voix qui par miracle ne tremblait pas. Mais tu te trompes, Rick ! Dans *Cendrillon*, c'est le carrosse qui redevient citrouille…

— Oui, c'est vrai, admit Rick, souriant. Les contes de fées, ça n'a jamais été mon fort, et en plus il y a tellement longtemps que je n'ai pas entendu celui-là !

Elle se garda bien de préciser qu'elle était exactement dans le cas contraire : elle lisait tous les soirs une histoire à Matthew, et *Cendrillon* était une des favorites du petit garçon.

— Tu préférais les aventures de pirates, en effet, fit observer

91

Nick en souriant. Je me souviens encore de ton livre de *Barbe Rousse* ! Tu pouvais regarder les images pendant des heures !

Exactement comme Matthew, songea Sapphie avec un pincement au cœur. Au-delà de la ressemblance physique, sans doute le père et le fils avaient-ils nombre de points communs qu'ils ne se découvriraient jamais…

Rick se pencha cérémonieusement vers Joan et lui fit lui aussi le baise-main.

— Bonjour, chère madame. Sapphie vous ressemble tant que vous devez être sa mère, ou sa sœur aînée ! Je suis le frère de Nick, annonça-t-il. Rick Prince.

— Et aussi exagérément flatteur que votre frère ! s'exclama Joan, tout émoustillée. Vous êtes trois en tout, n'est-ce pas ?

— Oui, mais Zack, le troisième, est à l'autre bout du monde, en voyage de noces avec sa Stazy, expliqua Rick. Ils sont si amoureux l'un de l'autre qu'ils jouent les prolongations…

— A tel point que je me demande si nous les reverrons un jour, enchaîna Nick.

Jonx éclata d'un rire communicatif.

— Bien sûr que oui ! s'exclama-t-elle en prenant son mari par le coude. Nous aussi, on serait bien restés, mais au fond on est aussi heureux ici qu'aux Maldives ! L'important est d'être ensemble, n'est-ce pas ?

Nick enlaça tendrement son épouse.

— Tu as raison, chérie. Si tu es là, tout va…

Sapphie, de plus en plus mal à l'aise, cherchait désespérément un prétexte pour s'esquiver.

— Il est temps que je parte, annonça-t-elle enfin maladroitement.

D'autorité, Rick lui prit la main comme pour l'empêcher de s'échapper, et ce simple geste décupla son trouble.

— Pas question ! asséna-t-il. La soirée ne fait que commencer, tu ne vas pas filer maintenant !

— Si, si, je dois partir, répéta-t-elle, bouleversée.

Elle aurait dû se dégager, mais elle en était incapable.

Délicieusement douce et chaude contre la sienne, la paume de Rick lui rappelait d'autres échanges entre eux, ô combien plus intimes, et des images terriblement déstabilisantes de leurs corps nus enlacés affluèrent à son esprit. Elle ne devait pas penser aux mains possessives de Rick sur sa peau, à ses lèvres qui osaient les baisers les plus impudiques, au poids de son corps viril pesant délicieusement sur le sien au moment de l'union ultime…

La voix déterminée de sa mère la ramena soudain à la réalité.

— Rick a raison, intervint Joan d'un air d'autorité. Si quelqu'un doit rentrer, c'est moi ! Ta place est ici, auprès de tes amis. Tu ne sors pas assez souvent, Sapphie, et…

— Voyons, maman, j'étais en déplacement à Paris toute la semaine dernière ! coupa Sapphie, agacée.

Elle adorait sa mère, mais cette dernière avait parfois le chic pour se mêler de ce qui ne la regardait pas. Ce qui, dans ce cas précis, était particulièrement mal venu !

Rick observait Sapphie du coin de l'œil.

Dans sa robe de soie précieuse, sa beauté était plus radieuse que jamais. A la rougeur de ses joues, à son pouls qu'il voyait battre dans son cou, là où sa peau diaphane était la plus fine, à ses battements de cils, il pouvait percevoir cette fragilité si féminine qui décuplait son charme et la rendait irrésistible.

Il avait l'air idiot à lui tenir ainsi la main, mais il ne pouvait pas pour autant se résoudre à la lâcher. C'était peu, bien sûr, mais déjà beaucoup. Mieux en tout cas que de sentir Sapphie lui échapper en permanence… Il aurait tout donné pour apprivoiser de nouveau la jeune femme, retrouver le goût de ses baisers, la fraîcheur de sa bouche. Mais encore une fois, il devait attendre.

Avec Sapphie, il fallait apprendre la patience…

La semaine qui venait de s'écouler lui avait paru interminable…

Il cherchait vainement une occasion de revoir Sapphie et commençait à désespérer quand il apprit que Jérôme organisait un cocktail pour le lancement du film de Dee. Très vite, il avait su par Nick que Sapphie était invitée et avait décidé de se rendre à la réception.

Il n'avait rien caché à son frère de la façon ridicule dont il avait fantasmé sur Dee pendant cinq ans.

— Tu plaisantes ? s'était exclamé Nick en partant d'un grand éclat de rire. Toi, amoureux de cette diva ? O.K., elle est ravissante, mais tout le monde sait que c'est une femme enfant qui ne vit que pour plaire. Elle a jeté son dévolu sur Zack à un moment, mais il s'est enfui à toutes jambes. Les femmes mariées, très peu pour lui !

— Tu veux dire que… ?

— Dee aime flirter, rien de plus, avait précisé Nick. Ce qui l'intéresse, ce n'est pas l'individu qu'elle a en face d'elle, mais l'admiration qu'elle suscite en lui.

— Ça, je m'en suis rendu compte. Un peu tard, effectivement.

— D'après ce que j'entends, avait observé Nick, je crois qu'elle s'est stabilisée avec Jérôme et que ce comportement immature a cessé.

— On dirait, avait-il confirmé. Elle est toujours aussi aguicheuse avec les hommes, mais elle tient à son mari, c'est évident. Le fait de devenir mère va peut-être la rendre enfin adulte… Mais tu vas voir, la plus intéressante des deux sœurs, c'est sans aucun doute Sapphie !

La conversation s'était arrêtée là, mais son frère l'avait regardé d'une drôle de façon. Le message ne lui avait pas échappé…

Joan fixait d'un air ravi la main de Sapphie qu'il tenait toujours serrée dans la sienne.

— D'accord, tu étais à Paris, mais c'était pour le travail ! fit-elle observer à sa fille.

Exaspérée par l'insistance de sa mère, Sapphie retira brutalement sa main.

— Tu sais très bien que je me lève tôt demain, maman ! s'exclama-t-elle à bout de patience.

— Tu dormiras un peu moins que prévu, voilà tout ! rétorqua Joan avec un haussement d'épaules. L'important, c'est de prendre du bon temps, que diable ! Et pour Matthew, ne t'inquiète pas, je lui expliquerai.

Elle afficha de nouveau un grand sourire, sans se douter de la bombe qu'elle venait de lâcher. Car non seulement Sapphie, soudain blême, avait le plus grand mal à dissimuler son angoisse, mais Rick dressa aussitôt l'oreille.

Encore une fois, ce Matthew se trouvait en travers de son chemin… Mais d'abord, qui était-il ? Et pourquoi n'accompagnait-il pas sa petite amie dans ce genre de soirées ? Il restait dormir tout seul à la maison ? Un vrai bonnet de nuit, en somme. Et arrangeant avec ça, puisqu'il se montrait apparemment très compréhensif quand sa fiancée découchait !

Décidément, il avait du mal à comprendre les rapports de Sapphie avec ce Matthew…

Joan profita de leur silence soudain pour s'éclipser. Elle les salua rapidement d'un petit geste de la main et s'éloigna pour aller embrasser sa deuxième fille. A l'autre bout de la salle, la reine de la soirée était entourée d'une nuée d'amis et de connaissances qui la félicitaient à grand renfort de cris et de rires, et Joan fut bientôt happée par le groupe.

Rick se tourna alors vers Sapphie et remarqua sa pâleur.

— Tu en fais une tête ! s'exclama-t-il. Tout ça parce que Matthew va t'attendre un peu plus longtemps que prévu… S'il signifie tant pour toi, je ne vois vraiment pas pourquoi il n'est pas là ce soir, ajouta-t-il avec une perfidie calculée.

Nick lui fit les gros yeux pour lui signifier de modérer ses propos, tandis que Jonx lui offrait une coupe de champagne.

Ils avaient raison, songea-t-il, réalisant tout à coup que faire un scandale était aussi stupide qu'inutile. D'ailleurs, l'idée d'un rival ne lui faisait pas peur. A dire vrai, elle le piquait plutôt au vif.

— Il n'était pas invité, répondit Sapphie d'un ton détaché qui masquait sa nervosité. Et je ne vois pas…

— Si on allait boire un verre au bar comme nous l'avions prévu ? suggéra tout à coup Jonx pour détendre l'atmosphère. Viens, Nick, allons voir si nous trouvons une table… On revient dans une seconde, ajouta-t-elle à l'adresse de Rick et de Sapphie qui se regardaient en chiens de faïence.

C'était l'instant qu'il attendait depuis une semaine, songea Rick en voyant s'éloigner sa belle-sœur et son frère. L'instant où il serait seul avec Sapphie, où il pourrait enfin lui parler, en savoir plus sur elle, sa vie, ses amours. Si elle acceptait de se livrer un peu…

Comment lui expliquer que la femme dont il avait cru être amoureux pendant cinq ans n'était qu'un fantasme, et qu'en quelques jours elle-même avait pris dans son existence une place que Dee n'avait jamais occupée ? Qu'il ne se lassait pas de lui parler, de la regarder ? Qu'avec elle, il se sentait bien, tout simplement ? Que depuis leur voyage en Eurostar, elle lui avait terriblement manqué ?

En d'autres termes, qu'il était en train de tomber amoureux d'elle, si ce n'était déjà fait !

Parviendrait-il à la convaincre qu'elle seule comptait pour

lui à présent, que Dee n'était qu'un mirage dissipé depuis long-temps ? Parviendrait-il à lui faire oublier Matthew ?

La tâche ne serait pas facile, mais la difficulté ne l'avait jamais effrayé.

— Tu es ravissante ce soir, murmura-t-il d'une voix rauque.

Il caressa Sapphie du regard, s'attardant avec une telle insistance sur son long cou élégant et sa poitrine ronde qu'elle baissa les yeux, visiblement troublée.

— Incroyablement ravissante…

— La beauté de la famille, c'est Dee ! s'exclama-t-elle avec un petit rire nerveux.

C'était de bonne guerre, songea-t-il.

Elle devait être persuadée qu'elle ne l'intéressait pas, tant il est vrai qu'avant leur rencontre fortuite à Paris, il n'avait jamais cherché à la revoir. Mais leur nuit d'amour avait été si imprévue, leur passion si soudaine et si éphémère à la fois que quand il s'était réveillé au petit matin, il avait cru avoir rêvé. Sapphie était partie sans laisser la moindre trace de son passage, à part son parfum enivrant sur les draps froissés.

Il n'avait jamais parlé à personne de cette aventure éclair, même pas à Nick. C'était leur secret à tous deux. Qu'elle le veuille ou non, ils partageaient au moins ça…

— Si on allait rejoindre les autres ? suggéra tout à coup Sapphie en affectant un ton léger. Puisque j'ai l'impression que tout le monde s'est ligué contre moi pour m'empêcher d'aller me coucher…

— Bonne idée, approuva-t-il avec un large sourire.

Il la prit familièrement par le coude pour la guider vers la sortie, et cette fois elle ne le repoussa pas.

C'était un début, pensa-t-il. Modeste, mais un début quand même…

9.

Contre toute attente, Sapphie passait un délicieux moment…

Voilà une heure déjà qu'ils étaient installés tous les quatre dans de confortables fauteuils club en cuir autour d'une table basse, dans le bar feutré de l'hôtel, et elle avait l'impression qu'ils venaient d'arriver.

Etait-ce l'effet du champagne commandé par Nick, l'humour de Jonx quand elle racontait des anecdotes sur leur voyage de noces, l'étincelle qui s'allumait dans les yeux bleu profond de Rick quand elle croisait son regard ? Elle se sentait bien, tout simplement, alors qu'au départ elle avait suivi Rick avec des pieds de plomb.

Et même si elle le soupçonnait d'avoir orchestré cette rencontre apparemment fortuite, à cet instant peu lui importait : après tant de tension, ce moment de détente était le bienvenu.

Elle avait même réussi à surmonter l'angoisse qui s'était emparée d'elle quand sa mère avait prononcé le nom de Matthew. A l'évidence, si elle ne l'avait pas interrompue, sa mère aurait parlé de son petit-fils : la catastrophe avait été évitée de justesse…

— Je te ressers un peu de champagne ? demanda Rick.

— Non merci, répondit-elle. Il va vraiment falloir que j'y aille.

Avant d'oublier tout à fait de rester sur mes gardes comme me je l'étais promis, ajouta-t-elle en son for intérieur.

— Pourquoi ? s'étonna Rick. Tu peux faire la grasse matinée ! Tu travailles chez toi, non ?

C'était le cas en effet, mais bien sûr il ignorait que son fils — leur fils — la réveillait tous les matins. A 7 heures au plus tard, le petit garçon déboulait dans sa chambre en pleine forme, et, ravie de profiter de ce moment privilégié, elle n'avait pas le cœur de le renvoyer dans son lit.

— Nous allons vous laisser, intervint Nick. Jonx est fatiguée, et j'ai un rendez-vous tôt demain matin. J'ai été ravi de bavarder avec toi, Sapphie, et j'espère que nous nous reverrons bientôt.

— Moi aussi, enchaîna Jonx avec chaleur. Pourquoi ne pas fixer une date tout de suite au lieu de remettre ce dîner aux calendes grecques ? Venez donc samedi prochain à la maison tous les deux !

« Tous les deux » ? L'expression alerta Sapphie. Jonx les prenait-elle donc pour un couple ? Rick avait-il fait des confidences à son frère et à sa belle-sœur sur ce qui s'était passé entre eux cinq ans auparavant ? Et s'il leur avait demandé d'organiser ce dîner ?

Cette simple hypothèse la dissuada immédiatement d'accepter.

— Non, je…

Rick ne la laissa pas finir.

— Merci, Jonx, coupa-t-il. C'est une excellente idée. Nous allons vérifier nos agendas chacun de notre côté, et je t'appellerai demain pour te tenir au courant.

Misant sans doute sur son désarroi, il lui glissa le bras autour de la taille avec un parfait naturel. Et en effet, elle fut trop décontenancée pour réagir.

De quoi se mêlait-il ? pensait-elle, de plus en plus perplexe. Malgré la sympathie qu'elle éprouvait pour Nick et Jonx, elle refuserait leur invitation. Non seulement parce qu'elle ne souhaitait pas établir des liens trop étroits avec la famille Prince, mais aussi pour signifier à Rick qu'elle ne voulait rien avoir à faire avec lui.

— Oui, appelle-moi, je t'en prie, insista Jonx. Je serais vraiment ravie que vous veniez, ajouta-t-elle avec un regard appuyé vers elle.

Si les circonstances avaient été différentes, elles auraient pu devenir amies, songea Sapphie avec un pincement au cœur. Jonx était très sympathique et elles avaient manifestement beaucoup de points communs. Mais en l'occurrence, toute relation suivie entre elles était impossible.

— J'essaierai, murmura-t-elle, mal à l'aise.

Dès que Nick et Jonx eurent passé le pas de la porte, elle jeta à Rick un regard soupçonneux.

— Je commence à croire que c'est un coup monté, fit-elle observer d'un air courroucé. Ne me dis pas que notre rencontre de ce soir et cette invitation à dîner sont simplement le fait du hasard !

— Non, en effet, confirma Rick.

Sa voix d'un calme absolu désamorça aussitôt sa mauvaise humeur. Soudain muette, elle dévisagea Rick avec de grands yeux étonnés.

— Que veux-tu dire ? balbutia-t-elle après un silence.

— C'est moi qui ai tout arrangé, expliqua-t-il avec une parfaite décontraction. Mon invitation à cette soirée d'abord, quand j'ai su que tu y serais. Ensuite ta rencontre avec Nick et Jonx pour détendre l'atmosphère, mon arrivée apparemment inopinée, et enfin cette invitation pour samedi… J'ai tout planifié du début jusqu'à la fin, et j'assume parfaitement. Asseyons-nous, je vais t'expliquer.

— Pas question, rétorqua-t-elle d'un air sombre. Aucune raison ne peut justifier un tel comportement !

100

— Si, Sapphie. Je voulais te revoir, et tu m'as signifié de façon très claire que tu ne le souhaitais pas. Je n'avais pas d'autre solution que ce stratagème bien innocent, tu dois l'avouer. Je n'ai fait que donner un petit coup de pouce au hasard…

— Tu es incroyable ! protesta-t-elle. Sous prétexte que Dee t'a délaissé pour Jérôme, je devrais me dévouer pour te changer les idées ! Tu ne trouves pas ça un peu facile ?

Rick sourit.

— Détrompe-toi, j'ai oublié cette histoire avec Dee. J'ai compris un peu tard que je ne l'avais jamais aimée. Et elle non plus, ajouta-t-il. Même si elle semble juste commencer à s'en rendre compte, je crois que Jérôme est l'homme de sa vie.

Sapphie eut un haussement d'épaules désabusé.

— Souhaitons-le en effet, ne serait-ce que parce qu'ils vont avoir un enfant… Mais il n'en reste pas moins que malgré tes affirmations, Dee compte toujours pour toi, j'en suis sûre ! Et qu'elle le sait…

Sa voix se mit à trembler, et elle tenta de reprendre le contrôle d'elle-même.

Cette conversation était aussi ridicule que déstabilisante. Et en plus, elle ne parvenait pas à ne pas avoir l'air jalouse, ce qui allait automatiquement donner des idées à Rick ! Exactement ce qu'elle cherchait à éviter… Cette soirée tournait décidément au fiasco…

— Il faut que je parte, balbutia-t-elle, au bord des larmes.

— Je te raccompagne, décréta Rick avec une douceur soudaine.

Ce fut la goutte d'eau qui fit déborder le vase.

Elle ne voulait surtout pas de la sollicitude de Rick, ni de sa gentillesse ! Pourquoi ne la laissait-il donc pas en paix ? Pourquoi ne disparaissait-il pas de son existence ? Elle ne demandait qu'une chose : que sa vie reprenne le cours paisible et harmonieux qu'elle avait avant qu'un hasard malheureux ne les remette en présence l'un de l'autre. Elle était si tranquille, si heureuse avec Matthew avant que Rick ne refasse surface ! Il avait bouleversé tous ses repères…

— Laisse-moi, je t'en prie, implora-t-elle d'une voix étranglée.

Il lui jeta un coup d'œil inquiet et remarqua ses yeux embués de larmes.

— Sapphie ! Tu pleures ? s'exclama-t-il, atterré. Mais que se passe-t-il ? Je n'ai jamais voulu te faire pleurer !

Il semblait si perturbé par sa réaction que le trouble de Sapphie s'accentua encore.

— J'ai besoin d'être seule, reprit-elle en retenant avec peine des sanglots nerveux. Excuse-moi, ajouta-t-elle avant de quitter le bar à la hâte.

Dans les jardins, la fraîcheur nocturne la calma un peu, mais son répit fut de courte durée : au léger bruit que faisaient ses pas sur le gravier, elle comprit que Rick l'avait suivie.

Pétrifiée d'émotion, elle se retourna brusquement et se retrouva face à lui. Il la dominait de sa haute stature, impressionnant de puissance virile avec sa large carrure, et elle se sentit tout à coup infiniment fragile.

Il la dévisagea avec une bouleversante intensité.

— Sapphie ? murmura-t-il.

La tension entre eux se faisait insupportable.

Devait-elle s'enfuir et trahir par là même sa vulnérabilité, ou tenter de résister, faire bonne figure ? Mais il était trop tard pour se poser ces questions, songea-t-elle éperdue en le voyant se pencher vers elle. Trop tard pour le repousser, pour refuser ce baiser qu'il allait lui donner et qu'elle appelait de toute son âme, pour lui soustraire ses lèvres qui réclamaient les siennes comme si sa vie en dépendait. Comment aurait-elle pu partir, alors que son corps tout entier attendait son étreinte, ses caresses ?

Quand il posa les lèvres sur son cou, un frémissement sauvage la parcourut.

— Sapphie, murmura-t-il d'une voix rauque, délicieuse Sapphie...

Il déposa sur sa nuque une myriade de baisers aussi légers qu'un souffle printanier, et elle se sentit défaillir. Cet homme était le seul qui ait jamais compté. Le seul qui compterait jamais...

— Sapphie, reprit-il en la plaquant contre lui. J'ai envie de toi, tellement envie de toi...

Elle n'eut plus aucun doute sur la réalité de son désir : Rick était prêt à lui faire l'amour. Il suffisait qu'elle dise oui.

— Viens, insista-t-il en la serrant plus encore. Allons chez moi. Je ne peux plus attendre. Tu verras, ce sera encore plus beau que la première fois...

Ces paroles la dégrisèrent brusquement. La première fois... Cette nuit où Matthew avait été conçu ! Comment pouvait-elle oublier son fils ?

Plus morte que vive, elle se dégagea.

— Non, balbutia-t-elle, au supplice. Laisse-moi, Rick.

Il s'écarta et la dévisagea d'un regard incrédule.

— Voyons, Sapphie, tu as envie de moi, je le sais, protesta-t-il d'une voix étranglée. Alors pourquoi ce revirement ?

Elle se força à contrôler son désespoir. Rick ne devait rien deviner de son désarroi, de ce secret qu'elle devait continuer à lui cacher !

— Parce que ! fit-elle d'un ton cassant. Il n'y a pas de place pour toi dans ma vie aujourd'hui.

— Pas de place ? Mais qu'est-ce tu racontes ? Comment peux-tu nier que nous sommes attirés l'un vers l'autre par une force qui nous dépasse ? Aurais-tu oublié cette nuit merveilleuse il y a cinq ans ? Pas moi !

Elle eut le courage d'afficher un air cynique.

103

— D'accord, tu es un bon amant. Et alors ? Tu n'es pas le seul !

Il la dévisagea sans comprendre. Il semblait ne pas vouloir admettre ce qu'il venait d'entendre. Puis il la lâcha avec un regard méprisant.

— Je ne sais pas où tu en es, Sapphie, mais je peux te dire une chose, s'exclama-t-il avec rage : c'est que je plains ton Matthew s'il est amoureux de toi !

— Tu n'as pas à plaindre Matthew, rétorqua-t-elle d'une voix sourde. Je l'aime de toute mon âme.

Rick ne chercha pas à retenir Sapphie quand elle s'éloigna vers les taxis qui faisaient la queue pour raccompagner les invités. A quoi bon ?

Plus il sentait qu'il avait besoin d'elle, que la vie sans elle perdait sa saveur, plus elle lui échappait… Il aurait tout donné pour la comprendre, pour l'apprivoiser, mais elle choisissait la fuite. Avant elle, aucune femme ne s'était comportée ainsi avec lui. Et aucune femme ne l'avait ainsi obsédé.

Soudain, la foule élégante des invités autour de lui lui fut insupportable. Il avait besoin d'être seul, de comprendre ce que cachait la défiance de Sapphie, cette dureté et ce cynisme si choquants qu'il avait du mal à les croire véridiques.

La Tamise était toute proche, et il se mit à marcher le long des eaux noires, aussi noires que ses pensées…

Comment Sapphie pouvait-elle prétendre être amoureuse de Matthew et vibrer ainsi de tout son être quand il la prenait dans ses bras ? se demandait-il, de plus en plus perplexe. Il avait eu suffisamment de femmes dans sa vie pour savoir qu'elle avait envie de lui. Aussi fort qu'il avait envie d'elle… Quelque chose la retenait, la bloquait. Mais quoi ? Matthew ? Pourquoi ? Ils n'étaient pas mariés, quand même !

104

De retour à son hôtel, il s'apprêtait à récupérer sa clé quand il croisa Jérôme.

— Tiens, Rick ! s'exclama ce dernier. Ravi de te voir enfin ! Il y avait tellement de monde que j'ai l'impression de n'avoir pu parler avec personne ! Tu as passé une bonne soirée, j'espère ?

— Très bonne, répondit Rick, évasif.

— Mais où est Sapphie ? Déjà partie ? Tu dois être déçu…Tu étais venu surtout pour elle, ajouta-t-il avec un sourire entendu. Plus que pour nous, avoue-le !

Mais Rick n'était pas d'humeur à rire.

— Ne parlons pas d'elle, si tu veux bien, rétorqua-t-il sèchement. Tu devrais plutôt t'occuper de ton épouse, elle te cherche…

— Tu as raison, approuva Jérôme. Mais si j'étais toi, je ne me découragerais pas pour Sapphie, ajouta-t-il. Je suis sûr qu'elle t'apprécie.

Rick retint un ricanement amer. Ce n'est pas ce qu'il voulait de Sapphie, pas du tout ! Entre eux, il y avait quelque chose de brûlant qui couvait et ne demandait qu'à se déclarer, il en prenait le pari ! Le seul problème était de convaincre Sapphie de se libérer enfin de ces freins mystérieux qui l'entravaient.

— Merci, Jérôme, murmura-t-il d'un ton las.

Quelques minutes plus tard, le dernier invité disparu, il se retrouva seul dans le hall déserté, sans la moindre envie de monter dans sa suite.

Le pub de l'hôtel restait ouvert toute la nuit. Cédant à une impulsion, il poussa la porte, s'installa au bar et commanda un double scotch. Peut-être parviendrait-il à chasser de son esprit l'image des yeux couleur d'ambre de Sapphie, aussi mystérieux que son attitude à son égard. Il ignorait s'il trouverait un jour la clé qui lui permettrait de comprendre la jeune femme, mais pour l'instant il ne pouvait qu'admettre son échec.

La sonnerie du téléphone tira Rick de sa torpeur.

Avec difficulté, il ouvrit un œil, l'esprit embrumé. Quelle heure était-il ? Et pourquoi dormait-il tout habillé sur son lit ?

— Oui, balbutia-t-il avec peine. Qui est à l'appareil ?

— C'est Nick. Tu as une drôle de voix. Je te réveille ? Tu sais qu'il est près de midi ?

Rick s'assit sur son séant, atterré.

— Midi ! s'exclama-t-il. J'ai l'impression que je viens de me coucher ! Pour tout t'avouer, j'ai fini la soirée au bar et je crois que j'ai abusé du whisky.

Il y eut un silence.

— Toi, si sobre d'habitude ! s'exclama Nick. J'en conclus que les choses n'ont pas été comme tu voulais avec Sapphie.

— Tu as raison.

— J'appelais justement à son propos. Pour te donner des informations intéressantes.

Cette fois, Rick ouvrit grand les oreilles. Jamais il ne s'était senti aussi réveillé…

— Mais encore ?

— J'ai discuté avec Jérôme ce matin au téléphone. Lui et Dee reprennent l'avion pour New York demain.

— Qu'est-ce que Sapphie a à voir là-dedans ?

— Rien. Je voulais juste que tu saches ce que Jérôme m'a appris sur elle.

— Quoi donc ? s'écria Rick avec impatience.

— Sapphie a un enfant, un enfant dont le père a pris la poudre d'escampette avant même la naissance. Selon Jérôme, c'est ce qui explique son comportement si distant avec les hommes.

— Un enfant…, répéta Rick abasourdi.

— Oui, un petit garçon. Matthew… C'est tout ce que je peux t'en dire, frérot, mais j'ai pensé que ça t'intéresserait.

Il y eut un silence.

106

— Merci, murmura enfin Rick d'une voix lointaine, ça m'intéresse en effet. Ça m'intéresse *beaucoup*.

Ainsi, Matthew n'était pas l'amant de Sapphie, mais son fils !

Voilà qui changeait tout…

A présent, il savait ce qu'il lui restait à faire !

10.

— Quand as-tu l'intention de lui dire enfin qu'il est le père de ton fils ? demanda Joan en fixant sa fille d'un regard pénétrant.

Sapphie faillit s'étrangler en avalant son café.

Elles étaient toutes deux tranquillement installées à la table du petit déjeuner, dans la cuisine de la maison qu'elles partageaient depuis la naissance de Matthew. En effet, quand Joan lui avait proposé l'hospitalité pour pouvoir s'occuper de son petit-fils quand elle serait en déplacement professionnel, elle avait aussitôt accepté. Quoi de plus rassurant que de savoir Matthew sous la garde de sa grand-mère quand elle s'absentait ? Mais à cet instant, elle aurait tout donné pour avoir son propre appartement, le plus loin possible de sa mère...

Elle jeta un œil inquiet à Matthew qui jouait gentiment avec ses cubes sur le tapis. Par bonheur, absorbé dans la construction d'une tour presque aussi haute que lui, il n'écoutait pas leur conversation.

Pourquoi Joan abordait-elle le sujet là, juste maintenant, alors qu'elle avait passé une nuit épouvantable à se tourner et se retourner dans son lit, incapable de trouver le sommeil tant la pensée de Rick la poursuivait ? songea-t-elle, découragée à l'avance de devoir tenir tête à sa mère.

— Pardon ? rétorqua-t-elle de l'air le plus ahuri possible, dans l'espoir de désamorcer sa curiosité.

Mais il en fallait plus pour venir à bout de Joan. Beaucoup plus...

— Voyons, ma chérie, ne fais pas celle qui ne comprend pas ! s'exclama celle-ci. Quand j'ai vu Nick hier soir, j'ai tout de suite pensé que c'était peut-être lui, tant la ressemblance était remarquable. Mais il est jeune marié, et tu avais l'air d'apprécier son épouse, j'ai trouvé ça bizarre. Et puis Rick est arrivé, et je n'ai pas eu besoin d'explications : il suffit de le regarder pour savoir... Je répète donc ma question, chérie. Quand vas-tu te décider à le mettre au courant ?

Inutile de nier, conclut Sapphie en plein désarroi. Joan ne s'en laisserait pas compter, et de toute façon le fils était tellement la copie conforme du père que c'était peine perdue... Mais comment avouer à sa mère qu'elle n'avait pas la moindre intention d'avertir Rick Prince que Matthew était son fils ?

Elle se mordilla nerveusement les lèvres et, prenant son courage à deux mains, affronta le regard inquisiteur de sa mère.

— A vrai dire, ce n'est pas prévu, expliqua-t-elle, au supplice.

Joan accusa le coup et prit une longue gorgée de café. Puis elle posa sa tasse et la fixa d'un œil acéré.

— Et pourquoi pas ? asséna-t-elle d'un ton accusateur.

Matthew releva la tête, abandonnant momentanément sa pile de cubes. Sa grand-mère avait un drôle de ton qu'il ne lui connaissait pas... Mais Sapphie lui adressa un sourire rassurant, et il retourna à son jeu, tranquillisé.

— Et c'est toi qui me poses la question ? s'insurgea Sapphie. Toi qui m'as incitée à donner un environnement stable à mon fils, à lui éviter toute perturbation ? Tu imagines ce que serait sa vie, entre une mère anglaise et un père américain ? Il serait trimballé d'un côté à l'autre de l'Atlantique comme une vulgaire balle de ping-pong !

Sa voix s'étrangla dans sa gorge et elle dut s'interrompre.

— Pourquoi voir les choses en noir ? rétorqua Joan. Vous pourriez trouver un terrain d'entente, d'autant que Rick a l'air de te trouver charmante...

— Charmante ? Il veut coucher avec moi, voilà tout !

Joan ne put retenir un soupir.

— Je ne t'ai jamais posé aucune question, ma chérie, parce que je pensais que c'était à toi de m'en parler la première, commença-t-elle. Mais excuse-moi, à présent que j'ai vu l'individu en question, je me demande bien pourquoi tu as entretenu tout ce mystère ! Il a l'air intelligent, raisonnable, responsable. Il serait très bien dans le rôle de père, j'en suis sûre !

— C'est vrai, mais...

— Pourquoi ne pas essayer de vous réconcilier ? suggéra Joan.

— ... Pour nous marier et faire beaucoup d'enfants, comme dans les contes de fées ? compléta Sapphie avec une ironie amère. Tu rêves, maman ! Nous sommes dans la vie, la vraie ! Ce n'est pas toujours aussi facile.

Le regard de Joan se voila.

— Je sais, Sapphie, je sais, murmura-t-elle, pensive. J'ai été deux fois veuve, tu sembles l'oublier. Mais je sais aussi que ni toi, sa mère, ni moi sa grand-mère, qui l'adorons, ne pouvons lui donner ce que son père lui apporterait. Réfléchis à ça, ma chérie, et tu changeras peut-être d'avis.

La sonnette de la porte d'entrée interrompit leur conversation. Joan se leva.

— J'y vais, annonça-t-elle. Ce doit être le postier, j'attends un colis.

Restée seule, Sapphie contempla longuement son fils accroupi sur le tapis, plus désorientée que jamais.

110

Avec ses boucles brunes, ses traits fins et ses yeux d'azur, il lui rappelait tellement Rick que son cœur se serra. Mais comment pouvait-on imaginer un seul instant en le voyant gai et souriant que quelque chose lui manquait ? Il était si heureux, si équilibré affectivement ! Pas question de bouleverser son univers…

Quand Joan réapparut, elle vit tout de suite son air fébrile.

— Tu as un visiteur, annonça celle-ci. Il t'attend dans le salon. Tu peux aller le retrouver, je m'occupe de Matthew.

Sa mère semblait si agitée que Sapphie eut un doute affreux. Qui pouvait venir la voir à cette heure matinale ? Et si c'était Rick ?

— Un visiteur ? répéta-t-elle d'une voix à peine audible.

La réaction de sa mère confirma ses craintes. Avec un air grave qui ne lui ressemblait pas, elle s'approcha et la prit longuement dans ses bras.

— Oui. Tu dois y aller. Tu verras, tout se passera bien, ajouta-t-elle en lui passant la main sur la joue en un geste plein de tendresse.

Réprimant son appréhension, Sapphie se força à lui sourire et se dirigea vers le salon après un long regard vers son fils.

En effet, son intuition était la bonne : Rick l'attendait, debout, et elle remarqua aussitôt son teint pâle, ses larges cernes. Une barbe naissante dessinait la courbe de son menton volontaire, accentuant s'il en était besoin sa virilité. Il avait l'air d'avoir aussi peu dormi qu'elle… Mais peut-être pas pour les mêmes raisons, songea-t-elle, cédant à un ridicule réflexe de jalousie.

Furieuse contre elle-même, elle se força à chasser de son esprit l'image affreusement pénible de Rick au lit avec une autre.

Quel était le motif de cette visite inattendue ? Elle l'ignorait, mais subodorait le pire : il avait dû apprendre la vérité au sujet de Matthew. Peut-être vivait-elle ses dernières heures paisibles avec son fils ? Peut-être Rick allait-il lui déclarer la guerre et lui enlever son enfant pour la punir de son silence ?

— Bonjour, articula-t-elle avec peine en s'obligeant à le regarder en face. Pourquoi cette visite ?

— Parce que j'ai besoin de te parler, expliqua Rick avec un calme apparent. Mais avant, j'apprécierais un café. Pour tout te dire, moi qui suis plutôt sobre, j'ai un peu abusé du whisky hier soir. Ce qui explique ma mine de papier mâché.

Sapphie retint un soupir de soulagement tandis que la vision atroce de Rick étreignant un corps féminin s'estompait.

— Avant d'aller te chercher du café, j'aimerais savoir ce qui t'amène, insista-t-elle, plus morte que vive.

Mieux valait crever l'abcès tout de suite et ne pas prolonger cette insupportable attente...

Rick prit une profonde inspiration, mit les mains dans les poches de son pantalon de lin et commença à arpenter le salon de long en large.

— Oui, tu as raison, inutile de tourner autour du pot, murmura-t-il comme s'il se parlait à lui-même.

Il s'arrêta brusquement et la dévisagea avec sur le visage une expression si tendue qu'elle sentit ses jambes se dérober sous elle. Elle savait déjà ce qu'elle allait entendre.

— Je suis venu te demander pourquoi tu ne m'as pas averti que Matthew était ton fils et pas ton amant, déclara-t-il alors.

Sapphie tomba plus qu'elle ne s'assit dans le grand fauteuil qui, fort opportunément, se trouvait juste à côté d'elle.

Rick ne savait donc pas... Pas encore tout, du moins. L'étau se desserrait un peu.

— Qui t'a mis au courant ? balbutia-t-elle, partagée entre le soulagement et l'angoisse. Dee ?

— Non, répliqua-t-il, mais peu importe. Tu vas tout me

112

raconter… Je veux savoir qui t'a laissée seule avec cet enfant. Mais je suis surtout venu te dire que nous deux, pour moi, cela signifie quelque chose, ajouta-t-il d'un ton grave. Même si tu as eu un enfant d'un autre, même si nous n'avons partagé que cette seule nuit il y a cinq ans. Nous avons un avenir ensemble, Sapphie, j'en ai l'intime conviction.

Il s'approcha d'elle et s'agenouilla devant le fauteuil. Puis, avec une infinie délicatesse, il lui prit la main.

En plein désarroi, elle ne sut que dire. Elle aurait tant voulu pouvoir enfin laisser parler son cœur, s'abandonner à ses caresses, à ses baisers, croire ce qu'il lui laissait entrevoir ! Mais comment établir avec lui une relation véritable alors qu'elle gardait son secret ? Comment trouverait-elle la force de lui avouer enfin ce qu'elle lui cachait depuis si longtemps ?

— Un avenir… Ensemble ? répéta-t-elle, incrédule et émerveillée tout à la fois.

Rick hocha la tête, trop ému pour articuler la moindre parole.

Lui aussi avait du mal à appréhender cette succession d'événements inattendus qui bouleversaient son existence. Sa rencontre fortuite avec Sapphie si longtemps après le mariage de Dee, l'attirance grandissante qu'il éprouvait pour elle, sa terrible frustration quand elle avait rejeté ses avances, et cette conviction soudaine que son plus profond désir était de faire du chemin avec elle, avec ou sans enfant… Tout s'était précipité à une telle vitesse que, pour la première fois de sa vie, il avait l'impression d'être entraîné dans un tourbillon qu'il ne maîtrisait pas. Voilà des heures qu'il réfléchissait à la situation, pesant le pour et le contre, mais plus le temps passait et plus il comprenait qu'il ne pouvait pas vivre sans elle.

Leur relation, aujourd'hui encore seulement ébauchée, ne

demandait qu'à se développer, à prendre de l'ampleur. Il ne raterait pas cette seconde chance que le hasard de la vie leur offrait miraculeusement…

Nick, qu'il avait rappelé, avait eu beau le mettre en garde, lui expliquer qu'une nuit d'amour ne suffisait pas à faire d'eux un couple, que l'existence de cet enfant signifiait nécessairement qu'il y aurait toujours un autre homme entre lui et Sapphie, il n'avait pas changé d'avis. Matthew ou pas Matthew, c'était elle qu'il voulait.

— Et toi, comment aurais-tu réagi si Jonx t'avait appris qu'elle avait un enfant ? avait-il rétorqué pour faire taire son frère. L'aurais-tu rejetée pour cette seule raison, si tu tenais vraiment à elle ?

— Non, avait concédé Nick presque à contrecœur. Au fond, cela n'aurait rien changé à mon amour pour elle…

Ceci avait conforté Rick dans la certitude qu'il pouvait reconquérir Sapphie, que la seule chose qui comptait était l'attirance irrépressible qu'ils éprouvaient l'un pour l'autre. Mais le plus délicat allait être de l'en convaincre…

— Maman, maman ! Où es-tu ? lança tout à coup une petite voix à l'autre bout de la maison.

Sapphie fit le geste de se lever, mais elle n'en eut pas le temps : la porte s'ouvrit brutalement, et un petit garçon débarqua dans le salon pour se pelotonner sur ses genoux.

— Je voulais te montrer ma tour, mais grand-mère a dit que tu étais occupée, expliqua-t-il d'une petite voix plaintive. Et maintenant, tous les cubes sont tombés !

Apparemment incapable d'articuler une parole, Sapphie serrait son fils dans ses bras, le retenant contre elle comme pour empêcher Rick de voir son visage. Mais le petit garçon en eut bientôt assez de cette position inconfortable et se dégagea prestement. Alors, avec l'aplomb et le naturel des enfants de cet âge, il se tourna vers Rick et le regarda droit dans les yeux.

— Comment tu t'appelles ? demanda-t-il.

Bouleversé de découvrir Sapphie dans son rôle de mère, Rick mit quelques secondes à réaliser que Matthew lui parlait. Il fixa avec attention le visage du petit garçon, curieux de découvrir le fils de Sapphie et de cet homme qui les avait lâchement abandonnés l'un et l'autre. Alors, peu à peu, au fur et à mesure qu'il observait ses traits, la vérité s'imposa à lui comme un coup de tonnerre. La stupeur le rendit muet.

Cet enfant était son fils ! La ressemblance était telle que personne ne pouvait le nier... Comment n'y avait-il pas pensé plus tôt ?

— Je suis désolée, ma chérie, intervint alors Joan d'une petite voix. J'ai essayé de le retenir, mais...

Elle se tenait sur le pas de la porte, et l'expression désemparée qui se lisait sur son visage contrastait avec son aplomb habituel.

— Ne t'en fais pas, maman, balbutia Sapphie. Peut-être est-ce mieux ainsi de toute façon...

Ainsi, Joan était au courant ! songea Rick, de plus en plus choqué. Comme tout l'entourage de Sapphie, probablement ! Le seul à ne pas savoir, c'était lui, le père, alors qu'il aurait dû être le premier informé !

La rancœur le gagnait peu à peu, au fur et à mesure que s'estompait l'effet de surprise. Une rancœur terrible, incontrôlable, qui montait en lui comme une lame de fond.

Il avait un fils, un adorable petit garçon de quatre ans, et Sapphie n'avait pas jugé utile de l'en avertir ! Elle l'avait gardé pour elle seule, le privant de ses premières années si précieuses ! Jamais il ne saurait quel bébé il avait été, songea-t-il soudain avec un serrement de cœur. Ses premiers sourires, c'est à elle qu'il les avait adressés, ses premiers pas, c'est elle qui les avait vus ! Et lui ? Elle l'avait cantonné dans son rôle de géniteur, trop heureuse de s'approprier indûment le rôle de mère et de père à la fois…

— Bon Dieu, Sapphie, comment as-tu pu faire ça ? lança-t-il d'une voix sourde.

— Tu as entendu, maman ? dit Matthew. Le monsieur a dit un gros mot ! Il est méchant !

— Non, chéri, pas méchant, corrigea Sapphie d'une voix à peine audible. Juste en colère…

Elle leva les yeux vers Rick d'un air craintif, guettant sa réaction.

— La colère est un mot trop faible, beaucoup trop faible pour ce que je ressens, lui lança-t-il alors d'un air menaçant. Tu vas payer, je te le promets !

Matthew les regarda l'un et l'autre d'un air alarmé.

— Ce n'est pas le moment, Rick, fit observer la jeune femme, livide.

— Tu as raison, concéda-t-il. Ni le moment, ni le lieu. Nous nous expliquerons au tribunal.

— Non, Rick ! s'écria Sapphie d'un ton plaintif. S'il te plaît !

Une lueur assassine s'alluma dans le regard de Rick.

— Pourquoi aurais-je de la pitié pour toi, Sapphie ? rétorqua-t-il avec dureté. En as-tu eu pour moi ?

Il s'interrompit brusquement et serra les poings, cherchant à se contrôler.

— Nous reparlerons de tout cela en présence de nos avocats, reprit-il d'une voix maîtrisée. Tu auras de mes nouvelles très bientôt !

Il hésita alors à aller vers son fils, à le serrer contre lui, mais l'air inquiet du petit garçon l'en empêcha. Ils feraient connaissance, mais plus tard, quand le calme serait revenu. Il ne voulait à aucun prix lui faire peur.

Alors, avec un dernier regard pour le petit garçon qui, la main dans celle de sa mère, le dévisageait d'un air grave, il quitta la pièce, au bord des larmes.

11.

Plus morte que vive, Sapphie se laissa glisser sur le canapé où Matthew la rejoignit aussitôt. Il se blottit contre elle sous le regard soucieux de Joan qui avait assisté avec effroi à la scène.

— Il est pas gentil le monsieur, hein, maman ? demanda-t-il d'une petite voix apeurée.

— Si, si, il est gentil, murmura Sapphie.

— C'est ce que tu crois, intervint alors Joan. Jusqu'au jour où il va te poursuivre en justice ! Tu n'as pas entendu ce qu'il a dit ?

— Va jouer dans ta chambre, mon chéri, dit Sapphie en caressant tendrement la joue de son fils. Fais-moi un beau dessin...

Une fois l'enfant disparu, elle se redressa et se tourna vers sa mère, le visage défait.

— Je sais, maman, balbutia-t-elle. S'il exige d'avoir Matthew, le juge lui accordera au moins la garde alternée, j'en suis sûre. Tu te rends compte ?

— Ce serait un moindre mal s'il s'en satisfait, enchaîna Joan avec un soupir préoccupé. Mais il a les moyens de payer les meilleurs avocats pour obtenir plus. Il avait l'air tellement furieux qu'il voudra peut-être se venger au mépris même de l'équilibre de Matthew !

Sapphie se prit la tête dans les mains pour cacher à sa mère

118

les larmes qui embuaient ses yeux. Elle devait être forte, se dit-elle. L'épreuve ne faisait que commencer.

— Il faut que je lui parle, déclara-t-elle en relevant brusquement la tête. Tout de suite ! Que nous trouvions un terrain d'entente. Je ne peux pas supporter que nous nous disputions Matthew comme s'il s'agissait de n'importe quel bien !

— Tu sais où le trouver ?

— Non, mais Dee doit le savoir, répondit-elle en se dirigeant aussitôt vers le téléphone. Je l'appelle.

Ce fut Jérôme qui répondit.

— Sapphie ? Tu voulais nous dire au revoir ? C'est gentil…

— J'avais oublié que vous rentriez à New York demain, avoua-t-elle, mal à l'aise. En fait, je voulais surtout savoir comment joindre Rick.

Par bonheur, Jérôme s'abstint de tout commentaire. Elle ne l'aurait pas supporté.

— Il était au même hôtel que nous… Jusqu'à ce matin, expliqua-t-il. Je sais qu'il a réglé sa note avant de partir.

— Il est parti ! Tu sais où ?

— Non, mais Nick doit être au courant. J'ai son numéro de portable, si tu veux. Tiens, Dee, je te passe ta sœur pendant que je consulte mon carnet.

— Alors, comme ça, tu cours après Rick ? demanda Dee d'une voix narquoise. Tu perds ton temps, Sapphie. Il n'est pas pour toi…

— J'ai juste oublié de lui dire quelque chose, bafouilla-t-elle lamentablement.

Par bonheur, Jérôme reprit alors l'appareil et lui donna le numéro demandé. Il était pressé et mit fin rapidement à la conversation, au grand soulagement de Sapphie.

Quelques minutes plus tard, elle obtenait les coordonnées de

Rick de la bouche de son frère. A l'instar de Jérôme, Nick avait eu la délicatesse de ne pas lui poser la moindre question…

Dans le salon du luxueux appartement de son frère, Rick faisait les cent pas comme un lion en cage.

Il était arrivé quelques minutes auparavant, juste après son entrevue avec Sapphie, si choqué par ce qu'il venait d'apprendre qu'il n'avait pas encore retrouvé ses esprits.

Il ne cessait de voir et de revoir le visage de ce bel enfant dont il n'arrivait pas encore à réaliser qu'il était son fils.

Inlassablement, il repassait en boucle le film de ces derniers jours. A la lumière de cette incroyable révélation, tout prenait un éclairage nouveau. Il comprenait à présent pourquoi Sapphie l'avait d'abord fui comme la peste quand ils s'étaient retrouvés à Paris, pourquoi elle avait tant insisté pour ne pas dire à Dee et Jérôme qu'ils se connaissaient déjà. A l'évidence, elle craignait qu'ils ne fassent le rapprochement entre lui et Matthew…

Un instant, il exultait de joie et de fierté à la pensée que ce charmant petit garçon était le sien, allant presque jusqu'à éprouver de la gratitude pour Sapphie qui l'avait porté et élevé toute seule, et la seconde d'après il se jurait qu'il allait exiger la garde de Matthew à temps plein, pour qu'elle sache elle aussi ce que cela signifiait d'être privée de son enfant.

Jamais il ne s'était senti aussi désorienté. Rien dans sa vie privée ou professionnelle, qu'il avait toujours gérée avec clairvoyance et détermination, ne l'avait préparé à un tel dilemme. Devait-il se venger de Sapphie, au risque de perturber l'équilibre de Matthew ? Ou faire comme si rien ne s'était passé et se contenter de rattraper les années perdues avec son fils ? Quelle que soit la méthode choisie, garde partagée ou autre, Matthew risquait de connaître une difficile période d'adaptation.

La sonnerie du téléphone le tira de ses sombres pensées. Nick prit l'appareil.

— Sapphie ? dit-il. C'est toi ? Oui, bien sûr, quand tu veux. Il est là… A tout à l'heure.

Nick raccrocha le combiné sous le regard éberlué de Rick.

— C'était Sapphie ? bredouilla-t-il. Que voulait-elle ?

— Te parler… en terrain neutre, expliqua son frère, laconique. Elle sera là dans quelques minutes.

Il s'interrompit et le dévisagea d'un air perplexe.

— Il va falloir que tu m'expliques un peu ce qui se passe, Rick, reprit-il, soucieux. Tu arrives ici comme une bombe, tu es dans un état de nerfs que je ne t'ai jamais vu, et tout ce que tu trouves à dire est que le problème, c'est Matthew, le fils de Sapphie ! O.K., elle a un enfant, et alors ? Tu le savais déjà, puisque nous en avons longuement parlé ! Je croyais que pour toi, ça n'avait pas d'importance…

Rick s'affala dans un fauteuil.

— Il se trouve que Matthew est mon fils également, précisa-t-il d'une voix blanche. Tu saisis ? Mon fils, et celui de Sapphie…

A cet instant, on entendit un bruit discret, et la porte s'ouvrit, laissant apparaître cette dernière. Elle s'accrochait à la poignée, blême, comme si ses forces étaient sur le point de la trahir.

Elle semblait si désorientée, si vulnérable, que Rick éprouva l'envie stupide de la prendre dans ses bras pour la réconforter. Mais ce moment d'égarement ne dura heureusement pas. Il était là pour régler des comptes avec Sapphie, pas pour s'attendrir.

Elle avança de quelques pas mal assurés et se laissa tomber dans un fauteuil.

— Rick, commença-t-elle d'une voix blanche. Ne me prends pas Matthew…

— Nous n'en sommes pas encore là, rétorqua-t-il d'un ton

distant. Je veux d'abord que tu m'expliques cet inqualifiable silence.

— Comment aurais-je pu t'annoncer que j'étais enceinte de toi, alors que tu ne pensais qu'à Dee ? s'exclama Sapphie dans un cri du cœur. A quoi bon ? Tu ne voulais pas de cet enfant, c'était évident !

— Ce n'était pas à toi d'en juger, et de toute façon tu n'avais pas le droit, Sapphie ! rétorqua-t-il aussitôt. Tu m'as privé de mon fils pendant cinq ans, et j'ai bien l'intention de rattraper le temps perdu. Que ça te plaise ou non !

Elle se mordit la lèvre.

— Rattraper ? Comment ? Tu ne m'enlèveras pas Matthew ! Jamais ! asséna-t-elle avec l'énergie du désespoir.

— Je compte bien vivre avec mon fils à présent, et j'espère que tu te montreras raisonnable. N'oublie pas que tu en profites depuis près de cinq ans, toi ! acheva-t-il d'une voix étranglée.

— Tu le verras, bien sûr, mais il n'est pas question que tu l'emmènes avec toi aux USA ! riposta Sapphie. Ni qu'il soit baladé de Londres à New York comme un vulgaire colis, au mépris de son propre équilibre ! Je me battrai jusqu'au bout s'il le faut pour lui éviter ça !

Elle lui lança un regard de défi, et ils se dévisagèrent dans un silence meurtrier.

C'est le moment que Nick choisit pour intervenir. Quand Sapphie était apparue, il avait fait mine de s'éclipser, mais Rick lui avait demandé d'un regard de rester, et il avait été le témoin silencieux de toute la scène.

Il émit un petit toussotement pour attirer leur attention.

— Désolé de me mêler de ce qui ne me regarde pas, fit-il observer avec un calme qui, allié à l'effet de surprise, désamorça la tension ambiante, mais partis comme vous êtes, vous n'irez pas très loin. Sapphie ne veut pas entendre parler de se séparer de son fils, et on peut la comprendre puisqu'elle ne l'a jamais quitté. Et toi, tu n'envisages pas de ne pas l'avoir à plein temps, pour rattraper toutes ces années perdues, ce que l'on conçoit tout aussi bien ! En fait, reprit-il après un court silence, je ne vois qu'une solution : que vous cohabitiez. Et pour simplifier le tout, que vous vous mariez ! Ainsi, vous faites le bonheur de Matthew qui n'a plus à se partager entre son père et sa mère, et en plus vous évitez avocats, gardes alternées et pensions alimentaires, tout ce qui constitue la spirale infernale dans laquelle on rentre quand on se dispute un enfant… Oui, vraiment, acheva-t-il sans se départir de son ton posé, le mariage, c'est la solution !

12.

— Et sur cette dernière remarque, je vous laisse, ajouta-t-il enfin avec un petit sourire, avant de s'éclipser sur la pointe des pieds.

Rick, debout au milieu de la pièce, semblait changé en statue de pierre.

Quant à Sapphie, elle restait prostrée dans son fauteuil, en plein désarroi. Les pensées se bousculaient dans sa tête dans un tourbillon diabolique, plus contradictoires les unes que les autres.

Epouser Rick, c'était rendre un père à Matthew, lui donner une famille au sens plein du terme. Un instant, elle eut la vision idyllique de leur vie à trois, imagina le bonheur qui serait le sien entre les deux êtres qui comptaient plus que tout pour elle… Mais la réalité reprit aussitôt ses droits. Serait-elle capable de vivre au quotidien avec Rick en sachant qu'il n'éprouvait rien pour elle, alors qu'elle l'aimait en silence depuis cinq ans et l'aimerait toute sa vie ? Car à l'évidence, ce qu'il ressentait pour elle participait plus du domaine de l'attirance physique que des sentiments. Comme quand il lui avait fait l'amour en pensant à Dee…

Peut-être Rick la désirait-il aujourd'hui, mais le désir passait. En revanche, l'amour qu'elle éprouvait pour lui ne s'atténuerait pas, et elle souffrirait atrocement quand il se lasserait d'elle. Ce qui pouvait ressembler au départ à un conte de fées se terminerait nécessairement en cauchemar...

Elle se leva et, tournant le dos à Rick, se dirigea vers la grande baie vitrée. Elle ne voulait pas qu'il lise le désespoir sur son visage.

— C'est une idée absurde, ça ne marchera jamais, fit-elle observer après un long silence.

Rick resta muet. Puis elle comprit au bruit de ses pas qu'il se dirigeait vers elle, et sentit qu'il était tout proche d'elle.

Bien trop proche ! songea-t-elle, le cœur battant.

Elle résista à l'envie de se retourner et de se jeter dans ses bras en lui avouant qu'elle était prête à tout dans l'espoir fou qu'un jour il l'aime à son tour.

Alors, d'un geste infiniment délicat, il lui posa les mains sur les épaules, et elle ne put retenir un frémissement. Violente et incontrôlable, une onde de plaisir la parcourut, électrisant son corps tout entier. Pourquoi aggravait-il ainsi son supplice ? s'interrogea-t-elle, bouleversée. S'il continuait à la toucher, elle ne répondait plus de rien...

— Tu te trompes, Sapphie, murmura-t-il. Ça a marché, il y a cinq ans.

Elle se remémora tout à coup ces moments de passion, cette nuit d'une extraordinaire intensité où Matthew avait été conçu... Combien de fois avaient-ils fait l'amour pendant ces heures trop brèves ? Elle n'aurait su le dire, mais elle gardait imprimé dans sa chair le souvenir bouleversant de chacune de ses caresses.

— C'était purement sexuel, Rick, corrigea-t-elle d'une voix dure pour masquer son trouble. Mais à supposer que nous retrouvions cette alchimie, combien de temps durerait-elle ? Et que nous resterait-il ensuite ?

— L'estime, le respect ? suggéra Rick.

Elle se retourna brusquement, prête à crier que ce n'était pas ce qu'elle attendait de lui. Mais quand elle croisa son regard posé sur elle, d'un bleu aussi profond et impénétrable que celui de l'océan, elle se figea.

Rick cherchait à lui dire quelque chose, mais quoi ? s'interrogea-t-elle, bouleversée.

Elle n'eut pas le loisir de se poser bien longtemps la question, car il se pencha et lui prit les lèvres, si doucement qu'elle crut rêver.

Fermant les yeux, elle respira son odeur mâle, s'abandonna au bonheur de ce baiser aussi léger qu'un souffle d'air un soir de printemps… Mais ce moment d'égarement ne dura pas.

Tout ceci n'avait aucun sens, se dit-elle tout à coup, reprenant conscience de la réalité avec une cruelle brutalité. Si Rick cherchait à l'amadouer en l'embrassant, il perdait son temps !

Partagée entre la rage et le désespoir, elle se dégagea en évitant son regard et retourna se planter devant la fenêtre pour qu'il ne voie pas les larmes qui embuaient ses yeux.

Il resta longtemps immobile à contempler le dos qu'elle lui offrait.

— Très bien, déclara-t-il enfin d'un ton désabusé. Alors ne parlons pas de nous, mais plutôt de Matthew, puisqu'il est au cœur du problème. Me laisseras-tu au moins le voir, pour que nous apprenions à nous connaître ?

Elle se retourna lentement et le dévisagea avec étonnement. Rick n'exigeait plus, il demandait… Pourquoi se montrait-il si conciliant tout à coup ?

— … Et qu'il se rende compte que je ne suis pas aussi méchant qu'il le croit, ajouta-t-il avec un sourire forcé qui cachait mal son amertume.

Elle réfléchit un instant.

— Oui, bien sûr, approuva-t-elle sans relever sa dernière remarque. Il faut qu'il s'habitue à toi.

Il sembla se satisfaire de cette réponse.

— En effet, ajouta Rick en fixant Sapphie d'un regard aigu. Et quand j'aurai convaincu le fils qu'il n'a rien à craindre de moi, peut-être pourrai-je convaincre la mère ?

Il aurait donné cher pour savoir ce qu'elle pensait. Ses traits étaient tendus, son visage d'une pâleur extrême, et il éprouva une intense compassion pour sa souffrance.

Car elle souffrait, et elle avait sûrement beaucoup souffert pendant ces cinq dernières années…

Lors de sa première relation sexuelle, elle était tombée enceinte, qui plus est d'un homme qui aimait sa sœur — ou qui croyait l'aimer, mais à l'époque ni lui ni elle ne le savaient —, et cet homme n'avait jamais cherché à la revoir… Après avoir assumé seule sa grossesse, elle avait élevé cet enfant et en avait fait un petit garçon adorable. Sans rien exiger de lui, le père, sans chercher à lui réclamer le moindre centime, sans se plaindre.

En fait, tout était sa faute, sa faute à lui ! Stupidement obsédé par Dee, il n'avait pas réalisé que cette seule et unique nuit avec Sapphie avait plus compté pour lui qu'aucune de celles qu'il avait pu passer avec une femme. Pendant cinq ans, il avait évité de songer à elle, sachant peut-être inconsciemment que le jour où il réaliserait la portée de ce qui s'était passé entre eux, sa vie en serait changée.

Et ce jour était arrivé…

Revoir Sapphie sur les Champs-Elysées avait été un véritable choc, et peu à peu l'évidence s'était imposée. Tout était remonté à la surface. Leur merveilleuse complémentarité sur le plan physique, l'attirance qu'il avait immédiatement éprouvée pour elle, malgré Dee…

Comment avait-il pu être aveugle aussi longtemps ? En fait… Il l'aimait, tout simplement ! réalisa-t-il, soudain pénétré par cette évidence. Il l'aimait comme il n'avait jamais aimé aucune femme, et il n'envisageait pas la vie sans elle ! L'existence de

Matthew ne faisait que le confirmer dans l'idée que leur relation devait s'inscrire dans la durée.

Parviendrait-il à le lui faire comprendre ?

Que l'affaire paraisse mal engagée, c'était un euphémisme ! Jusque-là en effet, au lieu de l'apprivoiser, il n'avait réussi qu'à l'apeurer ! Elle le craignait à la fois parce qu'il représentait une menace pour son enfant et parce qu'elle ne comprenait pas ce qu'il cherchait en elle.

Il devait lui parler, lui ouvrir son cœur, lui avouer qu'il voulait partager son existence. Son amour était si fort, si puissant, qu'il se sentait capable de la convaincre d'essayer.

Et peut-être, avec le temps, parviendrait-elle à l'aimer à son tour ?

La gorge serrée par l'émotion, il la dévisagea avec gravité et se retint de l'enlacer. Il était trop tôt, songea-t-il. La journée pour elle avait été rude, elle avait besoin de repos. Il attendrait : il était prêt à tout pour la reconquérir, même à patienter aussi longtemps qu'il le faudrait.

— Je vais te raccompagner, proposa-t-il. Tu as l'air fatigué. Je suis sûr que tu souhaites rentrer chez toi retrouver Matthew.

La voix de Rick était si douce tout à coup, si dénuée d'agressivité, que Sapphie leva vers lui un regard chargé d'incompréhension. Un instant, elle parut tentée d'accepter, de mettre bas les armes, de saisir la main qu'il lui tendait. Mais aussitôt elle se renfrogna.

Il n'était pas question pour elle d'accepter quelque chose de sa part à lui…

— Merci, mais je peux très bien rentrer toute seule, répondit-elle d'une voix mal assurée.

— Voyons, sois simple ! protesta-t-il. Je m'en vais moi aussi. Je te déposerai sur mon chemin.

Elle hocha la tête, visiblement à bout de force.

Rick la dévisagea longuement, frappé par sa pâleur, ses traits tirés. Ces derniers événements l'avaient épuisée, physiquement comme nerveusement. Encore une fois, il refréna l'envie de la prendre dans ses bras et de la serrer contre lui en lui murmurant à l'oreille que tout irait bien, qu'elle n'avait pas à s'inquiéter, que lui vivant il ne leur arriverait aucun mal à elle et à Matthew. Mais elle l'aurait repoussé...

Il se contenta d'avancer la main et de remettre en place une mèche de ses cheveux auburn, lui effleurant la joue au passage.

— J'ai été brutal tout à l'heure, déclara-t-il d'une voix sourde, et je m'en excuse. C'était le choc. Je comprends à présent que la situation a dû être très dure pour toi. Très dure... Et j'assume la part de responsabilité que je porte dans tout ça. D'abord, je ne me suis même pas posé la question d'une contraception. Ensuite, j'aurais pu prendre de tes nouvelles, m'assurer que tu allais bien. Je n'ai rien fait de tout ça...

Elle leva vers lui ses yeux couleur d'ambre, et la franchise de son regard le frappa.

— Ne perds pas ton temps à essayer de me persuader que tu es quelqu'un de bien, murmura-t-elle. Je le sais déjà... Moi aussi, ajouta-t-elle après un silence, je me fais des reproches. Mais c'est trop tard, Rick. Nous ne pouvons pas revenir en arrière. A présent, il faut regarder l'avenir et avancer. Comment, je n'en sais rien encore...

13.

Rien ne les avait préparés à ce qui les attendait devant chez Sapphie.

Dee, ses blonds cheveux dénoués, une expression guerrière sur le visage, dévala quatre à quatre les marches du perron pour se précipiter à leur rencontre dès qu'ils furent sortis de la voiture.

— Enfin, vous voilà ! s'exclama-t-elle d'un ton de tragédienne. Je me suis fait un sang d'encre ! J'espère que tu vas laisser ma sœur en paix à présent ! ajouta-t-elle en jetant à Rick un regard meurtrier.

— Dee ! s'exclama Sapphie, stupéfaite. Mais je te croyais dans l'avion à l'heure qu'il est !

— J'ai changé mes plans quand j'ai su ce qui se passait, expliqua-t-elle. Maman m'a tout raconté. Il n'est pas question que Rick te retire la garde de Matthew, et je tenais à lui dire en face qu'il devra d'abord me passer sur le corps pour en arriver là. D'ailleurs, s'il le faut, j'irai témoigner devant le juge et je dirai que Rick a profité de ton innocence. Je…

— Calme-toi, Dee, coupa Sapphie. Rentrons discuter tranquillement à la maison. Je ne tiens pas à ce que tout le voisinage soit au courant de ma vie privée…

En effet, attirées par le bruit, quelques silhouettes étaient apparues aux fenêtres avoisinantes.

130

Dee se calma sur-le-champ.

— Très bien, fit-elle. Rentrons. Nous aurons tout loisir de parler en effet, car maman vient d'emmener Matthew se promener. Je ne sais pas qui des deux avait le plus besoin de bouger, elle est comme une pile électrique !

Une fois dans le salon, ils prirent place autour de la table basse.

Avant même que Sapphie ouvre la bouche pour proposer un café, Dee remonta au créneau avec une détermination qui la stupéfia. Jamais elle ne l'aurait imaginée prenant ainsi sa défense avec une telle passion !

— Que les choses soient claires, Rick, commença-t-elle d'un ton ferme. Le fait que tu aies séduit Sapphie il y a cinq ans ne te donne pas le droit de venir tout à coup lui réclamer Matthew. Parce que tu ne t'en rends probablement pas compte, mais être père va bien au-delà de l'acte de procréation.

Elle avait un ton si solennel que Sapphie et Rick ne purent s'empêcher d'échanger un regard interrogateur. Pourquoi Dee prenait-elle le sujet tellement à cœur ? On aurait presque pu croire que c'était elle qui risquait de se voir enlever son fils…

— Inutile d'être agressive, Dee, intervint Sapphie.

Rick l'interrompit en lui posant la main sur le bras, et elle ne se dégagea pas.

— Laisse Dee aller au bout de sa pensée, Sapphie, conseilla-t-il d'un ton posé. Qu'elle dise ce qu'elle a à dire, nous discuterons ensuite.

Les yeux vert émeraude de la jeune actrice lancèrent des éclairs.

— Lâche-la ! rétorqua-t-elle, scandalisée. Et ne t'imagine pas être tout à coup transformé en père parce que tu viens d'apprendre que tu as un fils !

— Je n'imagine rien, Dee, rétorqua Rick sans se départir de son calme.

— … Parce que être père, ça commence bien avant la naissance d'un enfant ! reprit-elle avec la même véhémence. C'est assister sa femme quand elle a la nausée, supporter ses accès d'humeur pendant la grossesse, lui tenir la main pendant l'échographie, découvrir avec elle sur l'écran les petites têtes des bébés… Et pleurer de joie quand les tests annoncent que tout va bien et qu'ils sont en bonne santé.

Sapphie fronça les sourcils. Elle commençait à comprendre pourquoi Dee semblait aussi à fleur de peau.

— *Les* bébés ? répéta-t-elle. Tu veux dire que… ?

Les grands yeux verts de Dee s'emplirent de larmes, tandis qu'un sourire triomphant éclairait son visage.

— Oui, confirma-t-elle dans un souffle. Les bébés… Il y en a deux. Un garçon et une fille ! C'est merveilleux, non ? Jérôme et moi sommes si heureux ! Je les aime tant déjà, sans les connaître, que je n'ose pas imaginer ce que ce sera quand je les tiendrai dans mes bras. En tout cas, je sais que si quelqu'un s'avise de me les prendre, je suis prête à le tuer pour l'en empêcher ! Et je suis sûre que tu ressens exactement la chose avec Matthew, Sapphie ! Il ne te connaît même pas, Rick, et tu veux l'enlever à sa mère ?

— Si, il me connaît, corrigea Rick avec une douloureuse amertume. Pour lui, je suis le méchant…

Sapphie intervint, bouleversée.

— Il apprendra à te connaître, Rick, corrigea-t-elle. Je lui expliquerai et il comprendra, j'en suis sûre.

— Il ne pourra pas comprendre ! coupa Rick d'une voix étranglée.

Le visage empreint d'une intense émotion, il se tourna vers Dee.

— Tout ce que tu viens de dire sur moi est vrai, Dee, sauf une chose, déclara-t-il. Je n'enlèverai jamais Matthew à sa mère, je m'y engage. J'attendrai le temps qu'il faudra pour qu'il vienne

132

vers moi, car je ne veux en aucun cas bouleverser son existence. J'ai des yeux pour voir, et je sais qu'il est heureux avec elle.

Sapphie leva les yeux vers lui, stupéfaite.

Rick la dévisagea un moment, sembla sur le point de dire quelque chose, puis se ravisa. Sans cesser de la regarder, il tira de son portefeuille une carte de visite et la lui tendit.

— Voici les numéros de téléphone où tu pourras me joindre quand tu jugeras le moment opportun, déclara-t-il d'une voix sourde. Tu peux m'appeler à toute heure du jour ou de la nuit. En attendant, je promets de ne pas vous importuner, toi et Matthew, de ne pas chercher à le voir. Je vous laisse le temps à tous deux de vous habituer à cette nouvelle situation. Je suis sûr que tu sauras le préparer à l'idée que je suis son père.

Incapable de prononcer la moindre parole tant cette marque de confiance la bouleversait, Sapphie saisit la carte, la gorge nouée.

— J'attends ton appel, reprit Rick. Le plus tôt possible, ajouta-t-il d'un ton presque suppliant avant de quitter la pièce.

Restées seules, Sapphie et Dee échangèrent un regard ému.

— Si quelqu'un m'avait dit que les choses tourneraient ainsi ! s'exclama Dee, abasourdie. J'espère que je ne me suis pas trop mêlée de ce qui ne me regardait pas... J'ai peur de m'être un peu laissée emporter par la passion ! Déformation professionnelle, probablement.

Sapphie eut la force de sourire.

— Non, Dee, j'apprécie au contraire que tu prennes ainsi fait et cause pour moi. Mais les jumeaux, c'est bien vrai, n'est-ce pas ?

De nouveau, le visage de Dee s'éclaira d'une douceur que Sapphie ne lui avait jamais vue.

— Oui, c'est vrai ! confirma-t-elle, rayonnante. Le docteur nous a annoncé la nouvelle ce matin, et c'est pour ça qu'on a annulé notre départ. On voulait fêter ça ce soir avec toi et maman.

Décidément, la maternité avait transformé sa petite sœur, songea Sapphie, heureuse et surprise tout à la fois. Jamais auparavant elle n'aurait songé ainsi à les associer à sa joie, sa mère et elle.

— Je n'ai pas été une sœur super jusqu'à maintenant, n'est-ce pas, constata Dee comme si elle avait lu dans ses pensées. Je ne te promets pas d'en devenir une du jour au lendemain, mais j'essaierai, j'en prends l'engagement. Tu sais, c'est étrange, ajouta-t-elle d'un air grave. Ma grossesse ne se remarque pas encore, et pourtant il y a deux êtres qui se développent en moi, et je peux déjà presque les imaginer. C'est un sentiment merveilleux, non ? Magique, presque… J'ai l'impression que tout à coup, ma vie prend tout son sens.

Sapphie acquiesça d'un signe de tête.

Elle avait éprouvé la même sensation de plénitude quand elle attendait Matthew, sensation qu'elle ne connaîtrait probablement plus jamais. Faire un autre enfant avec Rick ? C'était aussi absurde que l'épouser, puisqu'il ne l'aimait pas ! Quant à se donner à un autre homme, c'était encore plus improbable… Rick resterait le seul et l'unique. A jamais.

— Pour qui donc te mets-tu sur ton trente et un ? s'exclama Nick.

— J'emmène Sapphie et Matthew au restaurant, bougonna Rick en finissant de mettre son after shave. Et je ne suis pas sur mon trente et un ! ajouta-t-il, mécontent.

Nick étouffa un petit rire et observa avec attention les vêtements de son frère.

— Allons, allons, ne me prends pas pour un imbécile… Je vois bien que tu mets le paquet pour plaire à ton fils.

— Bien sûr, et tu ferais la même chose à ma place ! Voilà quatre jours que j'attends un coup de fil de Sapphie, et le miracle a enfin eu lieu ! D'accord, elle ne me propose qu'un rapide dîner dans une pizzeria, mais c'est un début. Et je ne veux à aucun prix rater ce premier moment avec Matthew…

— Je comprends, Rick, murmura Nick. Je suis sûr que tout va bien se passer…

— Que Dieu t'entende, murmura Rick, ému, en retenant un soupir. En tout cas, je n'ai pas eu l'occasion de te remercier pour ton hospitalité, mais j'apprécie. J'aurais détesté me retrouver seul à l'hôtel avec tout ce qui arrive, et votre présence a été un grand réconfort. Mais rassure-toi, je n'abuserai pas. Quoi qu'il arrive, je vais bientôt vous laisser tranquilles, toi et Jonx.

— Voyons, Rick, tu peux rester aussi longtemps que tu le souhaiteras. Tu es ici chez toi !

— Merci, Nick, mais il faut que je trouve une solution à cette situation absurde. Si seulement j'arrivais à convaincre Sapphie que m'épouser n'est pas aussi fou qu'elle le pense ! Cela résoudrait tous les problèmes pour Matthew. Et peut-être, le temps passant, pourrait-elle s'attacher à moi et — qui sait — m'aimer…

Il baissa la tête, et son désarroi dut attrister son frère, qui vint lui tapoter affectueusement l'épaule.

— Allons, Rick, ne perds pas espoir, rien n'est joué ! s'écria-t-il. Imagine combien la situation est difficile à vivre pour Sapphie elle aussi ! Toi, tu dois gérer ton ressentiment, et elle sa culpabilité ! Laisse-lui le temps de réfléchir, de faire la part des choses.

Il s'interrompit et lui jeta un coup d'œil préoccupé.

— Permets-moi de te poser une question, Rick, reprit-il d'un ton pénétré. Lui as-tu dit que tu l'aimais ? Car c'est le cas, n'est-ce pas ?

Rick éluda la question.

S'il n'osait pas avouer son amour à Sapphie, c'est parce qu'il connaissait à l'avance sa réaction : elle le repousserait, et cette seule perspective lui était insupportable. Dans l'immédiat, il préférait attendre, et tenter de la convaincre que l'épouser, c'était assurer le bonheur de Matthew. Puis, peu à peu, il essayerait patiemment de gagner son cœur, de la reconquérir sans l'effaroucher.

Sapphie lui avait donné rendez-vous dans une pizzeria proche de chez elle.

Arrivé en avance, Rick s'installa à une table ronde un peu à l'écart. Partagé entre l'émotion de faire enfin réellement la connaissance de son fils et l'angoisse de ne pas réussir à l'amadouer, il guettait la porte avec une nervosité grandissante.

Enfin, ils apparurent. Main dans la main, ils échangeaient des mots qu'il n'entendit pas, mais il nota leurs sourires, leur évidente complicité, et son cœur déborda d'émotion.

Pourquoi tout était-il si compliqué ? songea-t-il, en plein désarroi. Pourquoi ne pouvait-il pas simplement aller vers eux, les entourer tous les deux de ses bras et les serrer contre lui en leur murmurant à l'oreille qu'il les aimait et qu'ils devaient vivre ensemble ?

Il se leva à leur arrivée, hésitant sur la conduite à tenir. Devait-il embrasser Sapphie et tendre la main à Matthew, ou l'inverse ? Jamais il ne s'était senti aussi intimidé…

Matthew s'arrêta devant lui et le dévisagea avec un sérieux qui ne fit qu'ajouter à sa nervosité.

Sapphie se pencha alors vers son fils et lui caressa la joue tendrement.

— Tu te souviens de ce que je t'ai expliqué, mon chéri ?

murmura-t-elle d'une voix mal assurée. Rick est ton papa, Matthew...

La gorge serrée par l'émotion, Rick attendit avec angoisse la réaction du petit garçon. Allait-il lui poser des questions auxquelles il ne pourrait pas répondre ? Que lui dire s'il lui demandait pourquoi il ne s'était jamais occupé de lui ?

Fort heureusement, ce genre d'épreuve lui fut épargnée. Sans lâcher la main de sa mère, l'enfant darda sur lui un regard ferme et lui sourit.

— Bonjour, papa ! lança-t-il aussi naturellement que s'il avait toujours prononcé ce mot.

Des larmes de joie embuèrent les yeux de Rick, mais il parvint à se dominer.

— Bonjour Matthew, répondit-il sur le même ton. Je suis content de t'avoir comme petit garçon...

— Si on s'asseyait ? suggéra Sapphie, submergée à son tour par l'émotion.

— Bonne idée, enchaîna Rick. On va commander. Quelle pizza préfères-tu, Matthew ?

L'atmosphère se détendit tout à coup. Pendant que Sapphie aidait son fils à faire son choix sur la carte, Rick observait la jeune femme. Elle portait un simple T-shirt blanc, ses cheveux étaient réunis en une queue-de-cheval et elle n'était pratiquement pas maquillée ; dans sa fraîcheur d'adolescente elle lui parut plus ravissante et désirable que jamais.

Sous son calme apparent, il devina qu'elle aussi était sous pression. Comment aurait-il pu en être autrement ? Pour elle aussi, ce premier contact à trois était lourd de conséquences...

— T'as un bobo au menton ? demanda tout à coup Matthew en le dévisageant.

Rick sourit.

— Oui, je me suis coupé ce matin en me rasant. Tu verras, ça t'arrivera aussi quand tu seras grand.

—Sauf si j'ai une barbe comme oncle Brian ! déclara le petit garçon, triomphant.

Rick scruta Sapphie du regard. Qui était cet « oncle Brian » ? Un ami ? Un amoureux ? Un amant ? Il réprima avec peine une poussée de jalousie aussi violente qu'injustifiée, en essayant de se convaincre que le fait d'avoir un enfant avec elle ne lui donnait aucun droit sur sa vie amoureuse.

— Brian Glover, précisa la jeune femme pour répondre à sa question silencieuse. Mon agent…

Son agent, et peut-être plus ! songea Rick malgré lui.

— Matthew m'accompagne chez lui de temps en temps. Il joue avec ses petits-enfants : Brian est quatre fois grand-père.

Soudain, Rick respira mieux.

— Je comprends, fit-il, soulagé. Alors, raconte-moi un peu l'école ! ajouta-t-il en se tournant vers son fils. Tu as beaucoup de copains ?

Ravi de l'intérêt que lui portait son père, le petit garçon se mit à lui narrer sa vie par le menu.

Plus Rick l'écoutait, plus il était conquis… et frappé par sa ressemblance avec sa mère : Matthew avait certes ses yeux bleus et ses cheveux bruns, mais il avait aussi la franchise et le regard droit de Sapphie, ses traits fins et son sourire ravageur.

Quand le petit garçon fut venu à bout de son impressionnant gâteau au chocolat, Sapphie se tourna vers Rick.

— Matthew doit se coucher tôt, car il a classe demain, expliqua-t-elle, il faut que nous rentrions. Pourquoi n'irions-nous pas prendre le café à la maison ?

Tout en récupérant sa carte bleue — il avait dû insister pour payer —, Rick jeta un regard inquisiteur à Sapphie. Se montrait-elle simplement polie, ou cette invitation était-elle le signe qu'elle commençait à s'apprivoiser ?

— Avec plaisir, répondit-il d'un ton aussi dégagé que possible, pour ne pas l'effaroucher.

En quittant le restaurant, il prit un bonbon dans la corbeille à côté de la caisse et le tendit à son fils.

— Tiens, bonhomme ! C'est pour toi.

— Je peux, maman ? demanda Matthew, les yeux brillants de gourmandise.

Sapphie acquiesça d'un sourire.

— Oui, mon chéri, même si ce n'est pas très raisonnable après tout ce que tu viens d'engloutir…

— Youpi ! s'écria Matthew en saisissant le bonbon. Merci, papa !

De nouveau, Rick fut bouleversé par la rapidité avec laquelle son fils s'était mis tout naturellement à l'appeler papa et à l'accepter comme père. Si seulement Sapphie pouvait l'accueillir dans sa vie avec la même facilité…

Une fois dans la voiture, après avoir installé Matthew à l'arrière, Rick prit le volant.

— Désolé pour le bonbon, glissa-t-il à Sapphie assise à son côté, j'ai l'impression que j'ai transgressé tes habitudes. Il faudra que tu m'expliques les règles de base, j'en ai peur…

— Ce n'est pas grave, répliqua Sapphie d'un ton léger. Parfois, il faut freiner Matthew sur les sucreries, c'est tout.

Tout en parlant, elle retira sa barrette, et ses longs cheveux se répandirent sur ses épaules. Dans la douce lumière du soir, avec son teint nacré et ses traits délicats, elle resplendissait.

Elle était si belle, si délicieusement féminine, que Rick sentit le désir monter en lui avec une force qui l'effraya.

S'il ne parvenait pas à reconquérir Sapphie, il deviendrait fou ! Elle était la seule femme qui pouvait le rendre heureux, pensa-t-il, la gorge nouée.

Peut-être suffirait-il d'un geste, d'une main posée sur sa cuisse, d'une caresse sur sa joue, d'un regard un peu appuyé pour rallumer le feu qui s'était embrasé entre eux voilà cinq ans ? En lui, les braises couvaient, incandescentes. Mais qu'en

139

était-il pour elle ? Le feu était-il éteint ou prêt à repartir ? De cette question dépendait son bonheur futur…

Un bruit étrange à l'arrière le tira de ses interrogations, et aussitôt après Sapphie lui cria de s'arrêter.

Matthew était en train de s'étouffer !

14.

— Arrête, vite ! répéta-t-elle, affolée.

Une seconde plus tard, après s'être garé sur le bas-côté, Rick sortait de la voiture comme une bombe, ouvrait la portière arrière et se précipitait pour détacher la ceinture de sécurité de l'enfant.

Incapable de parler, celui-ci était devenu bleu, et son regard angoissé trahissait sa panique. Il essayait désespérément d'inspirer, sans résultat. A l'évidence, quelque chose l'empêchait de respirer.

Le bonbon ! songea Rick, atterré. Il fallait intervenir, vite !

En moins de temps qu'il n'en faut pour le dire, il sortit son fils de la voiture, le saisit par la taille en le plaquant contre lui et exerça une violente pression sur son torse.

L'enfant toussa et expulsa violemment un corps étranger orange vif.

Le bonbon, en effet...

Alors, sous le choc, il se mit à pleurer et se jeta dans les bras de sa mère, dont le visage avait perdu toute couleur.

— Oh, mon Dieu, mon Dieu, répétait-elle d'une voix à peine audible en serrant son fils contre elle. Mon pauvre chéri, comme tu as dû avoir peur !

Rick observait la scène, partagé entre le soulagement et l'horreur à la pensée de ce qui aurait pu se produire s'il n'était pas intervenu rapidement.

— C'est ma faute, murmura-t-il comme s'il se parlait à lui-même. Jamais je n'aurais dû lui donner ce bonbon !

— Voyons, Rick, inutile de te faire des reproches, protesta doucement Sapphie sans cesser de serrer son fils contre elle. Tout va bien à présent.

— Je pouvais plus respirer ! gémit Matthew en essuyant ses larmes.

— C'est fini, chéri, assura sa mère en lui caressant tendrement la joue. Tu n'as rien à craindre à présent. Nous allons rentrer à la maison. Je m'installe sur le siège arrière, à côté de toi.

Pendant le reste du trajet, Rick ne cessa de vérifier dans le rétroviseur que Matthew avait récupéré toutes ses facultés. Il fut vite rassuré : blotti contre sa mère, bercé par le ronronnement de la voiture, il s'apaisa rapidement et ne tarda pas à s'endormir.

Un quart d'heure plus tard, Sapphie le bordait dans son lit sous ses yeux attendris.

— Tu seras là demain quand je me réveillerai, papa ? demanda le petit garçon en luttant contre le sommeil qui le gagnait. Mon copain Bill, à l'école, il dit que son papa est toujours là le matin. C'est lui qui lui donne ses céréales !

Le visage de Sapphie se tendit.

— Tu sais, beaucoup de papas sont déjà partis quand leurs enfants prennent leur petit déjeuner, expliqua-t-elle. Ils travaillent, parfois loin...

— Et toi, tu fais quoi, papa ? demanda Matthew.

Profondément attendri par cet enfant qui était si vite devenu le sien, Rick se pencha et lui caressa la joue.

— J'écris des histoires, répondit-il en souriant. Comme ta maman.

— Alors tu pourras être là demain matin, comme elle ! conclut tranquillement le petit garçon.

Sapphie observait la scène, bouleversée elle aussi de la connivence qui liait déjà le père et le fils. C'était presque comme s'ils s'étaient toujours connus, comme si ces cinq années s'étaient effacées comme sous l'effet d'une baguette magique…

Elle n'avait jamais imaginé que Matthew et ses camarades d'école parlaient de leurs pères respectifs et réalisait soudain que, malgré son jeune âge, il devait déjà souffrir de se distinguer des autres.

La réaction de Matthew quand elle lui avait annoncé que Rick était son père l'avait à la fois comblée et stupéfaite. Il avait paru content et avait longuement réfléchi. Puis, de sa petite voix haut perchée, il lui avait simplement demandé où Rick habitait et s'il allait s'installer chez eux, avant de repartir jouer tranquillement.

— Bonne nuit, mon chéri, murmura-t-elle à son fils avec tendresse.

Docilement, Matthew serra son nounours contre lui et ferma les yeux. Deux minutes après, il dormait profondément, et Rick et elle quittèrent la pièce sur la pointe des pieds.

— Tu n'as pas repris beaucoup de couleurs depuis tout à l'heure, constata Rick d'un ton inquiet. Tu es blanche comme un linge… Vas t'asseoir et laisse-moi préparer le café.

Assis à la grande table qui occupait le centre de la cuisine, il la regardait s'affairer autour de l'évier. En l'absence de Joan qui passait la soirée chez une amie, la maison était plongée dans un profond silence, et elle eut soudain l'impression aussi étrange que troublante qu'ils étaient seuls au monde.

— Non, non, au contraire, j'ai besoin de bouger. Mais c'est vrai que j'ai eu très peur, admit-elle en disposant deux tasses en porcelaine sur la table. Très peur. Si tu n'avais pas été là…

Ses traits se crispèrent et elle ne put achever.

— Si je n'avais pas été là, Matthew n'aurait pas mis cc bonbon dans sa bouche, coupa-t-il d'un ton douloureux.

— Arrête, voyons, ç'aurait pu arriver n'importe quand ! Tu n'y es pour rien…

— Nous avons évité le drame de justesse, fit observer Rick, la mine sombre.

— Il aurait pu s'étouffer ! enchaîna-t-elle d'une voix sourde. Je n'oublierai jamais son visage bleu, la panique dans ses yeux…

Elle ne put retenir ses larmes et détourna pudiquement la tête. Rick s'avança vers elle et la prit doucement par les épaules.

— C'est fini, Sapphie, c'est fini, assura-t-il d'une voix apaisante.

— Tu te rends compte ? s'exclama-t-elle d'une voix à peine audible. A quelques minutes près, il aurait pu…

— Ne pense pas à ce qui aurait pu se passer, conseilla-t-il. Dis-toi qu'à l'heure qu'il est, il est tranquillement endormi dans son lit avec son nounours.

— Mais il est si petit, si vulnérable, et tant de dangers de toutes sortes le guettent ! s'exclama-t-elle, incapable de se calmer. Je ne m'en étais jamais rendu compte avant ça ! Depuis que je l'ai vu ainsi, je…

Rick accentua la pression de ses mains sur ses épaules et la força à le regarder dans les yeux.

— Je te dis que tu n'as rien à craindre, Sapphie. Tant que je serai auprès de Matthew et de toi, il ne vous arrivera rien, je te le promets, déclara-t-il d'une voix sourde.

Elle lui jeta un regard chargé d'incompréhension.

— Auprès de Matthew… et de moi ? répéta-t-elle, perplexe.

Rick hésita un instant, puis se décida. Il fallait mettre un terme à cette insupportable attente. Si Sapphie le rejetait, il élaborerait une autre stratégie pour la reconquérir, voilà tout.

Il se sentait capable d'abattre des montagnes pour gagner son amour, mais il devait d'abord lui dire ce qu'il ressentait pour elle. Il n'en pouvait plus de prendre sur lui, de se taire…

Il s'éclaircit la gorge, en proie à une terrible appréhension. Lui si maître de lui d'ordinaire, il se sentait aussi ému qu'un adolescent.

— Sapphie…

Il s'interrompit, hésitant sur les termes à employer pour ne pas l'effaroucher.

— Peut-être n'es-tu pas prête à entendre ce que je vais te dire, mais il faut que je parle, reprit-il d'une voix sourde. Il faut que j'en aie le cœur net. Même si je suis pétrifié d'angoisse à la pensée que tu m'éconduises…

— Où veux-tu en venir ? demanda Sapphie, de plus en plus désemparée. Je ne comprends pas…

— C'est très simple. Je t'aime, Sapphie ! déclara-t-il, le regard brûlant.

Elle secoua la tête, en plein désarroi.

— Tu dois te tromper, gémit-elle. C'est Matthew que tu aimes, et non moi… Tu mélanges tout.

— Je t'aime, Sapphie, tu es la femme de ma vie, même si je ne l'ai compris que très tard, reprit-il, déterminé. Pour moi, il n'y aura jamais que toi.

Elle refusait toujours de le croire.

— C'est Dee que tu aimes, Rick, pas moi ! protesta-t-elle faiblement.

— Non, Sapphie, je t'en prie, écoute-moi, laisse-moi t'expliquer ! implora-t-il avec passion. J'ai été ébloui par Dee, j'ai cru être amoureux d'elle, mais c'était un leurre. Depuis cinq ans, c'est toi qui as pris possession de mon cœur, mais j'étais trop stupide pour le comprendre ! En te revoyant à Paris, j'ai commencé à réaliser que non seulement je ne t'avais jamais oubliée, mais que tu étais la seule femme qui aies jamais compté pour moi.

Sapphie lui jeta un regard désemparé, refusant encore d'admettre l'évidence.

— Tu te trompes, Rick, c'est Matthew seul qui compte pour toi, balbutia-t-elle d'une voix étranglée. Tu es troublé parce que tu viens d'apprendre que tu as un fils, mais dans quelques jours tout ça sera plus clair dans ta tête…

Pourquoi refusait-elle de le croire ? songea-t-il avec une frustration douloureuse. Comment la convaincre qu'il disait la vérité ?

— Non, Sapphie, voilà des jours et des jours que je réfléchis à tout ça, que j'essaie d'analyser mes sentiments, et je suis absolument certain de ce que j'avance. Mon amour pour toi n'a rien à voir avec Matthew, car j'étais décidé à te parler avant même d'apprendre son existence. Je veux passer le reste de mon existence avec toi, me réveiller avec toi chaque matin, m'endormir en te tenant dans mes bras ! Quels mots dois-je employer pour me faire comprendre ? lança-t-il, poussé à bout. Pourquoi me fais-tu souffrir ainsi ?

Partagée entre la stupéfaction et l'incrédulité, Sapphie secoua lentement la tête.

— Mais tu…, commença-t-elle, hésitante.

— Je suis tellement obsédé par toi que Nick prétend que je suis devenu un bonnet de nuit infréquentable ! Si tu n'acceptes pas de m'épouser, il m'a prévenu qu'il viendrait en personne intercéder en ma faveur auprès de toi !

Sapphie ne put s'empêcher de sourire en imaginant Nick plaidant sa cause, et il lui rendit son sourire. Ils restèrent ainsi un long moment à se regarder, les yeux brillants d'une extraordinaire émotion. Ils avaient l'un et l'autre la certitude qu'au-delà des mots, cette conversation engageait leurs existences tout entières.

— Rick, commença Sapphie d'une petite voix, moi aussi j'ai un aveu à te faire… Moi aussi je t'ai caché quelque chose.

Il attendit, pris d'une soudaine angoisse. Qu'allait-elle lui révéler ? Avait-elle quelqu'un d'autre ? Etait-elle toujours amoureuse de Jérôme ?

— Tu crois au coup de foudre ? interrogea-t-elle tout à coup.

— C'est-à-dire que…, commença-t-il, décontenancé.

— Moi, oui, affirma-t-elle avec une soudaine assurance. Parce que ça m'est arrivé.

— Avec qui ? demanda-t-il, en alerte.

Elle leva les yeux vers lui et éclata de rire, radieuse.

— Avec toi, idiot ! répliqua-t-elle. Moi aussi, quand je suis allée au mariage de ma sœur, je croyais être amoureuse. De Jérôme. Mais… Je t'ai aperçu à l'église, et ç'a été comme un tremblement de terre, un coup de foudre, un raz de marée, appelle ça comme tu voudras : au premier coup d'œil, j'ai su que tu étais l'homme de ma vie.

Elle s'interrompit, éperdue d'émotion.

— Ensuite, tu sais ce qui s'est passé cette nuit-là entre nous, reprit-elle après avoir repris le contrôle d'elle-même. Pour moi, c'était la première fois… Et c'est resté la seule, ajouta-t-elle. Contrairement à ce que je t'ai dit stupidement pour brouiller les pistes, après toi, il n'y a eu personne.

Il lui jeta un regard d'adoration. Sans même le savoir, elle s'était gardée pour lui, pensa-t-il. Elle l'avait attendu…

— Je n'ai jamais cessé de t'aimer, déclara-t-elle avec une soudaine gravité. Quand je pense que nous avons perdu cinq ans…

Il l'attira à lui et lui écrasa la bouche d'un baiser.

— Mais à partir de maintenant, nous nous aimerons si fort et si souvent que nous rattraperons le temps perdu ! lui murmura-t-il entre deux baisers. D'ailleurs, nous ne passerons plus une minute l'un sans l'autre, puisque nous allons nous marier !

— Nous marier ? répéta-t-elle, éblouie.

Un sourire tendre s'épanouit sur le visage de Rick.

— Oui ! Jusqu'ici, on a fait les choses un peu dans le désordre, lui glissa-t-il à l'oreille en la serrant contre lui à l'étouffer. Ne crois-tu pas qu'il est grand temps de régulariser ?

Épilogue

— Matthew ne pense plus qu'à Noël, déclara Rick.

Penchée sur l'évier, Sapphie s'affairait, et elle sursauta quand il l'enlaça par la taille.

— Rick ! s'écria-t-elle, ravie. J'ai failli lâcher ma tasse !

Elle se retourna et lui sourit. Leur quatre mois de mariage le lui avaient rendu encore plus précieux. Pas un jour ne s'était écoulé sans qu'elle remercie le ciel de leur rencontre sur les Champs-Elysées. Ce coup de pouce du destin avait transformé leurs vies…

— C'est ta faute, tu es trop belle, mon amour, lui chuchota-t-il en lui caressant la poitrine. Tu me fais tourner la tête…

Elle se retourna, cherchant sa bouche, et leurs lèvres s'unirent en un long baiser profond.

En Rick, elle avait non seulement trouvé le plus passionné des amants, mais aussi un mari attentif et un père responsable et aimant. Elle avait aussi découvert à travers lui une famille chaleureuse qui l'avait accueillie à bras ouverts. Ses deux belles-sœurs, Stazy et Jonx étaient devenues des amies, et les réunions familiales étaient toujours prétexte à rire et à passer de bons moments. Matthew lui aussi adorait ses oncles et tantes, et toute la tribu avait décidé de passer Noël dans un petit village perdu du Canada. Non sans avoir donné l'assurance au petit garçon qu'ils transmettraient l'adresse de l'auberge au Père Noël…

Ils s'écartèrent à regret l'un de l'autre, et soudain Rick aperçut les deux coupes de champagne déjà servies sur le bar.

— Du champagne ! s'exclama-t-il. Excellente idée ! Et que célébrons-nous ?

Elle lui tendit une coupe d'un air à la fois grave et malicieux.

— Trois événements ! déclara-t-elle, soudain sérieuse. Premièrement, la naissance des jumeaux.

— Comment, ça y est ? s'écria Rick. Raconte !

— Jérôme vient de m'appeler : tout s'est passé très vite, Dee n'a pas souffert du tout. Fergus, le garçon, est un peu plus gros que Fiona, et Jérôme m'a assuré qu'ils étaient le portrait pour le premier de son père, pour la seconde de sa mère. Tu imagines comme ils sont heureux... J'irai voir Dee demain à la première heure, il paraît qu'elle est en pleine forme.

Ses rapports avec sa sœur cadette n'avaient cessé de s'améliorer. Dee avait enfin compris que l'homme de sa vie était son mari, ce qui avait grandement aidé. Comblée par sa future maternité, elle s'était adoucie, et son égocentrisme s'effaçait de jour en jour... Même si parfois Sapphie ne pouvait s'empêcher de la trouver exaspérante avec ses minauderies ! Mais tout cela n'était pas bien grave, comparé à leurs différends passés...

— Je me réjouis pour Jérôme, déclara Rick. Je suis sûr qu'il fera un excellent père ! Et s'il a des problèmes, il n'aura qu'à me demander conseil, ajouta-t-il en riant. Et maintenant, la deuxième raison ?

Sapphie prit une gorgée de champagne.

— Maman a décidé de vendre sa maison, annonça-t-elle.

— Tant mieux ! Elle a enfin fini par accepter de s'installer avec nous, comme je le lui suggère depuis le début...

— Non, elle emménage avec Jackson.

— Le père de Jonx ?

— Exactement !

150

Rick semblait abasourdi, et Sapphie se remémora combien la nouvelle l'avait surprise elle aussi. Sa mère, qui avait toujours proclamé qu'elle vieillirait seule, était retombée amoureuse comme une jeune fille de quinze ans !

— Incroyable ! s'exclama Rick. Tu crois que c'est sérieux ?

— Ils en sont déjà à parler mariage ! Jackson est veuf depuis deux ans, et maman, sans le dire, ne supportait plus sa solitude. Je les ai vus ensemble l'autre jour, de vrais tourtereaux !

— Je propose de boire à leur santé ! suggéra Rick en levant son verre.

Sapphie l'imita, les yeux dans les yeux de son mari. Son cœur battait la chamade à l'idée de ce qu'elle allait lui confier à présent.

— Et le troisième événement, c'est quoi ? demanda Rick.

Elle eut un sourire énigmatique.

— Je sais que tu seras très occupé cet été avec la production de ta nouvelle pièce à l'automne, commença-t-elle, mais pourrais-tu me réserver quelques jours fin juillet-début août ?

— Probablement, si tu me le dis en temps utile. De quoi s'agit-il ? Tu as prévu un voyage ?

— Oui, confirma-t-elle, les yeux brillants d'émotion. A la maternité. Pour rapporter un petit frère ou une petite sœur à Matthew...

Rick devint blême.

— Tu veux dire que... Que nous allons avoir un autre enfant ? balbutia-t-il, terrassé par l'émotion.

— Le docteur me l'a annoncé ce matin, précisa-t-elle, radieuse.

Les larmes aux yeux, Rick l'enlaça avec tendresse.

— Sapphie, murmura-t-il. Ma femme, mon amour... Cet enfant à venir te rend plus précieuse encore pour moi... Quel

151

miracle de savoir que dans quelques mois nous tiendrons un bébé dans nos bras. Notre bébé…

— Je t'aime, Rick. Je t'aime tant, lui chuchota-t-elle dans un souffle.

— Matthew, toi, et maintenant un autre enfant… C'est trop de joie, Sapphie.

Avec une infinie délicatesse, Rick posa la main sur son ventre encore plat, avant de l'attirer à lui et de l'embrasser avec fougue.

Qui aurait cru qu'en descendant les Champs-Elysées quelques mois auparavant, ils verraient leurs vies prendre définitivement le virage du bonheur ?

Dès le 1er janvier 2007,

la collection *Horizon*
vous propose de découvrir
4 romans inédits.

---

collection

Horizon

4 romans par mois

Dès le 1er janvier 2007,

la collection *Azur*
vous propose de découvrir
8 romans inédits.

Chère lectrice,

Vous nous êtes fidèle depuis longtemps?
Vous venez de faire notre connaissance?

C'est pour votre plaisir que nous avons
imaginé un rendez-vous chaque mois
avec vos auteurs préférés, vos
AUTEURS VEDETTE dans les
collections Azur et Horizon.

Les AUTEURS VEDETTE vous
donneront rendez-vous pour de
nouveaux livres vedette.

Pour les reconnaître, cherchez
l'étoile ... Elle vous guidera!

Éditions Harlequin

LE FORUM DES LECTEURS ET LECTRICES

CHERS(ES) LECTEURS ET LECTRICES,

VOUS NOUS ETES FIDÈLES DEPUIS LONGTEMPS?

VOUS VENEZ DE FAIRE NOTRE CONNAISSANCE?

SI VOUS AVEZ DES COMMENTAIRES, DES CRITIQUES À
FORMULER, DES SUGGESTIONS À OFFRIR, N'HÉSITEZ
PAS… ÉCRIVEZ-NOUS À:
      LES ENTERPRISES HARLEQUIN LTÉE.
      498 RUE ODILE
      FABREVILLE, LAVAL, QUÉBEC.
      H7R 5X1

C'EST AVEC VOS PRÉCIEUX COMMENTAIRES QUE NOUS
ALLONS POUVOIR MIEUX VOUS SERVIR.

DE PLUS, SI VOUS DÉSIREZ RECEVOIR UNE OU
PLUSIEURS DE VOS SÉRIES HARLEQUIN PRÉFÉRÉE(S)
À VOTRE DOMICILE, NE TARDEZ PAS À CONTACTER LE
SERVICE D'ABONNEMENT; EN APPELANT AU
(514) 875-4444 (RÉGION DE MONTRÉAL) OU 1-800-667-4444
(EXTÉRIEUR DE MONTRÉAL) OU TÉLÉCOPIEUR
(514) 523-4444 OU COURRIER ELECTRONIQUE:
AQCOURRIER@ABONNEMENT.QC.CA OU EN ÉCRIVANT À:
      ABONNEMENT QUÉBEC
      525 RUE LOUIS-PASTEUR
      BOUCHERVILLE, QUÉBEC
      J4B 8E7

MERCI, À L'AVANCE, DE VOTRE COOPÉRATION.

BONNE LECTURE.

HARLEQUIN.

VOTRE PASSEPORT POUR LE MONDE DE L'AMOUR.

<u>COLLECTION HORIZON</u>

Des histoires d'amour romantiques qui vous mènent au bout du monde!

Découvrez la passion et les vives émotions qu'apportent à la Collection Horizon des auteurs de renommée internationale!

Captivantes, voire irrésistibles, ces histoires d'amour vous iront assurément droit au coeur.

Surveillez nos trois nouveaux titres chaque mois!

GEN-H-R

L'ASTROLOGIE EN DIRECT
TOUT AU LONG
DE L'ANNÉE.

(France métropolitaine uniquement)
Par téléphone 08.92.68.41.01
0,34 € la minute (Serveur JET MULTIMÉDIA).

Composé et édité par les
éditions Harlequin
Achevé d'imprimer en novembre 2006

BUSSIÈRE
GROUPE CPI

à Saint-Amand-Montrond (Cher)
Dépôt légal : décembre 2006
N° d'imprimeur : 62094 — N° d'éditeur : 12495

Imprimé en France